YO-CAR-792

ullstein

Das Buch

»Ich sage immer, das Leben ist ein Maßband, und das Stück, das mir bleibt, ist schon relativ kurz. Also, koste ich jeden Tag aus.«

TV-Koch, Bestsellerautor und Publikumsliebling Horst Lichter erzählt in seinem Buch von seinem bewegenden Leben und warum er ihm einen neuen Sinn geben wollte. Nach vielen tragischen Schicksalsschlägen im Privatleben und nicht weniger zahlreichen Höhen und Tiefen im turbulenten Berufsleben erkannte er, warum es so wichtig ist, das Leben immer wieder neu in die Hand zu nehmen, es ganz bewusst zu genießen und den Humor nie zu verlieren.

Eine berührende Liebeserklärung an das Leben!

Der Autor

Horst Lichter ist ein wahres Phänomen in Sachen Entertainment: Seine Bühnentouren sind ausverkauft, seine Bücher stürmen die Bestsellerlisten und das deutsche TV-Publikum machte ihn als besten Fernsehkoch zum Gewinner der Goldenen Kamera. Heute ist der lebenslustige Horst Lichter bei seinen Fans nicht nur wegen seiner bodenständigen Rezepte, sondern auch wegen seiner humorvollen und dennoch tiefgründigen Art beliebt.

Horst Lichter

mit Till Hoheneder

Keine Zeit für Arschlöcher!

... hör auf dein Herz

Ullstein

Besuchen Sie uns im Internet:
www.ullstein-taschenbuch.de

Lizenzausgabe im Ullstein Taschenbuch
1. Auflage November 2017
© 2016 by Gräfe und Unzer Verlag GmbH, München,
Alle Rechte vorbehalten.
Umschlaggestaltung: zero-media.net, München
unter Verwendung einer Vorlage von Martina Baldauf, herzblut 02 GmbH
Titelabbildung: © Stephan Pick
Satz: Pinkuin Satz und Datentechnik, Berlin
Gesetzt aus der Adobe Caslon Pro
Druck und Bindearbeiten: CPI books GmbH, Leck
ISBN 978-3-548-37716-2

Inhalt

Ich möchte – weil es mir sehr wichtig ist – vorab ein paar Dinge klären. In diesem Buch stehen natürlich nur *meine* Erinnerungen. Ich habe sie so aufgeschrieben, wie ich mich erinnert habe. Es gibt logischerweise immer zwei Seiten: Yin und Yang, Sonne und Schatten. Aber in diesem Buch geht es natürlich um meine Sicht der Dinge. Falls jemand sich verletzt fühlen sollte und die Dinge ganz anders sieht, dann tut mir das leid.

Keine Zeit für **Arschlöcher**

Auf der Fahrt vom Krankenhaus ins Hotel fühle ich mich wie ferngesteuert. Ich schließe die Tür auf und setze mich zitternd auf den Stuhl in meinem Zimmer. Trotz der Kälte draußen bin ich komplett durchgeschwitzt. Schweiß perlt von meiner Stirn, tropft mir auf den Pulli. Ich rauche eine Zigarette nach der anderen, aber das Nikotin kann meine blanken Nerven nicht beruhigen. Die Wut in mir lässt sich kaum verdrängen.

So schnell geht das also. Ruck, zuck! wird man selber zum Arschloch. Ist ganz einfach. Leider. Ich drücke wieder eine Kippe aus und mache mir gleich die nächste an. Versuche, etwas runterzukommen. Diese blöde Kuh von Krankenschwester, ist doch wahr. Ich bin völlig zerrissen. Zwischen blanker Wut gegenüber dieser Frau und Entsetzen über meine eigene Entgleisung. Ich fühle mich im Recht, aber mir ist mein

Benehmen im Nachhinein doch auch schwer peinlich. Wie konnte das nur passieren? Ich versuche, mich ganz nüchtern zu erinnern. Wie bin ich überhaupt in diese Situation geraten? Eine Situation, die mir so schnell über den Kopf gewachsen ist. Ein explosiver Cocktail aus Wut, Trauer und Hilflosigkeit.

Vor nicht mal einer Stunde saß ich noch in Mutters Krankenzimmer. Sah, wie sie litt. Die Schmerzen, die Angst in den Augen. Und der Scheißtropf mit den Schmerzmitteln leer. Ich hatte dreimal nach der Schwester gerufen, immer freundlich bittend. Und jedes Mal hatte ich nur ein leicht genervtes »kommt ja gleich, kommt ja gleich« aus dem Schwesternzimmer gehört. Kam aber keiner. Die Minuten wurden zur Ewigkeit und mit jedem schmerzvollen Atemzug meiner Mutter wurde ich noch hilfloser und gleichzeitig aggressiver. Ihr unendliches Leid sprang mir ins Genick und biss sich dort fest. Da ich das Elend nicht abschütteln konnte, musste ich mich anderweitig abreagieren. Starrte nochmal auf den leeren Tropf. Immer wieder, bis mir die kalte Wut die Knochen hinaufkroch. Fast genoss ich es, wie dieses Horrorgefühl sich langsam in mir ausbreitete. Aber irgendwann kippte es, und ich sprang wütend auf. Lief auf den Flur und suchte mein Opfer. In dem Moment hatte ich schon jegliche Beherrschung verloren, war nur noch auf Krawall gebürstet. Draußen im Gang prallte ich auf die Krankenschwester – und das Unglück nahm seinen Lauf. Ich weiß gar nicht mehr, was ich brüllte. Sie stand an der Wand, ich wutschäumend vor ihr, völlig außer Kontrolle. Sie verblüfft, angespannt und ängstlich. Ich klinkte komplett durch. Wütete wie ein Irrer. Schrie rum, warum sich hier eigentlich niemand um meine sterbende Mutter kümmerte und ob das keinen vom Personal interessieren würde. Die Rechtfertigungsversuche der verängstigten Pflegerin und das neugierige Getuschel der anderen Gestalten, die vom Lärm angezogen auf dem Flur standen und uns mit Abstand beobachteten, gingen mir am Allerwertesten vorbei. Als ich endlich merkte, dass der Druck entwichen war, mir die Stimme wegblieb und alles in mir in entsetzliche Trauer umschlug, ließ ich die Frau in Ruhe und fing bitterlich an zu weinen. Fluchtartig verließ ich das Krankenhaus, setzte mich ins Auto und fuhr zurück ins Hotel.

Das Hotel, das seit Wochen mein Zuhause ist. Seit meine Mutter so schwer erkrankt war. Die Wände in meinem Zimmer sind stumme Zeugen meines täglichen Wechselbades aus Hoffnung, Verzweiflung und Resignation. Dabei hatte ich doch genau in diesem Hotel die schönsten Stunden meines Lebens erlebt: meine Hochzeit mit meiner wunderbaren Frau Nada. Aber jetzt sind die Freude und die schöne Erinnerung wie weggeblasen. Meine Mutter liegt ganz in der Nähe im Sterben. Die Leichtigkeit, die ich in den letzten Jahren meiner rasanten Karriere verspürt habe, spült diese Flut von Leiden und Schmerzen einfach weg. Gleichzeitig spüre ich eine Erkenntnis in mir reifen. Der Tod gehört zum Leben, auch wenn wir das gerne verdrängen. Denn erst wenn unsere Eltern sterben, wird uns klar: Wir sind die Nächsten. Nur wann?

Ich bin 52 Jahre alt. Mir fällt die Geschichte mit dem Maßband wieder ein, die mir ein guter Freund vorgeführt hat. Wir haben einen dieser unvergesslichen, wunderbaren Abende am Küchentisch verbracht. Lecker Bierchen und Wein getrunken. Über Gott und die Welt geplaudert. Gelacht und geweint, uns an gute und böse Menschen erinnert. Und dann hat er dieses verdammte kleine Maßband aus der Manteltasche geholt: »Guck mal, Hotte. Das sind 100 Zentimeter. Oder aber 100 Jahre. Wir werden laut Statistik allerdings nur 78 Jahre.« Er schnappte sich die Schere und schnitt bei 78 Zentimetern ab. »Du bist jetzt 52, also schneide ich hier auch ab.« Und dann drückte er mir diesen mickrigen, kleinen Rest vom Maßband in die Hand und sagte ernst: »Vielleicht hast du noch 26 Jahre. Aber nur vielleicht. Mach was draus, mein Freund.« Ich habe gelacht und genickt. Fand das witzig und dachte noch: »Das musste dir merken, Hotte.« Aber wie ich da so in meinem Hotelzimmer sitze, bleischwer voller trüber Gedanken, wird mir überhaupt erst klar, was mir das Maßband sagen wollte.

Vor knapp einer Stunde habe ich mich wie ein Arschloch benommen. Dabei waren mir Arschlöcher schon immer zuwider gewesen. Ich hatte nie sein wollen wie diese Typen, die mich seit meiner Kochlehre belächelten. Die mir, als ich noch mein Restaurant hatte, das Leben schwer gemacht haben mit Neid und Missgunst. Arschlöcher braucht kein Mensch, schon gar nicht, wenn uns die Lebenszeit wie Sand zwischen den Fingern zerrinnt. Nein, das Maß ist voll. Ich will weder eine überarbeitete, unterbezahlte Krankenschwester zusammenfalten, die sich auf einer Station alleine gleichzeitig um 20 Patienten kümmern muss. Noch habe ich Lust, in Zukunft meine kostbare Lebenszeit mit unbekömmlichen Zeitgenossen zu verbringen. Es ist an der Zeit, eine wichtige Entscheidung zu treffen.

Ich bin selbst etwas verwundert, wie laut meine Stimme in dem stillen Hotelzimmer schallt. Und die Worte, die ich höre, überraschen mich nicht. Im Gegenteil, sie erfüllen mich mit großer Zufriedenheit und Zuversicht. Mit einer Zuversicht, die wie ein Leuchtturm durch die dunkle Nacht strahlt und mir Hoffnung macht. Mir wird richtig leicht ums Herz, als ich mich sagen höre: »Keine Zeit mehr für Arschlöcher. Nie mehr.«

Keine. Zeit. Für. Arschlöcher.

2

Mutters Entscheidung

2013 hatte ich mir für das folgende Jahr etwas ganz Unanständiges vorgenommen: Urlaub. Ich hatte seit Jahren keinen Urlaub mehr gemacht, ich hätte Urlaub zu dem Zeitpunkt mit »h« geschrieben, so fremd war mir allein schon das Wort. Also habe ich mir in den Kalender für 2014 dick mit Edding eingetragen, dass ich mal zweieinhalb Monate nicht arbeite. Nix, nothing, niente. Warum? Kinders, mit 14 bin ich von der Schule direkt in die Lehre gekommen und ab da hab ich ja immer durchmalocht. Und wenn ich Urlaub hatte, dann wurde weitergeschackert. Ich brauchte ja Kohle für mein Moped und was weiß ich noch alles. Für den ganzen Blödsinn, den ich so im Leben veranstaltet habe. Spaß kost' Geld, das heißt ja nicht umsonst so. Dann kam mein Restaurant. Bis das lief, war Urlaub so wahrscheinlich wie Hitzefrei in Grönland. Außerdem: War ja nicht so, dass ich jammernd dagesessen und gesagt hätte »oh Gott, oh Gott, ich armes Schwein hab' keinen Urlaub«. Ich liebte meinen Laden und die Arbeit ja. Das war mein Leben, mein Ein und Alles. Aber als ich den

Laden dann zumachte und wir in den Schwarzwald gezogen waren, fing das Herumreisen erst so richtig an: Dreharbeiten in Hamburg, in Köln, Tournee kreuz und quer durch die Republik ... rein ins Hotel, raus aus dem Hotel. Das ganze Jahr unterwegs. Auch wenn ich Dinge machte und mit Menschen arbeitete, die mir viel Freude bereiteten wie bei »Lafer!Lichter!Lecker!« – im Juni 2014 war ich platt und fühlte mich so ausgelaugt, dass ich zu meinem Schatz sagte: »Die ersten vier Wochen vom Urlaub bleib ich nur zu Hause!« Einfach auch mal merken, dass ich da lebte: zu Hause! Ich kam meistens nur zum Wäschewaschen, -wechseln und Koffer-neu-Packen heim. Nach vier Jahren hatte ich schon fast den Eindruck gewonnen, dass es sich hier um mein Ferienhaus handelte. Ich wollte den August über so ganz banale Dinge genießen wie Rasen mähen, am Haus was machen, einkaufen, lecker kochen und nette Freunde einladen. Ein Stück normalen Alltag. Genau das wollte ich haben. Ich freute mich schon wie Bolle.

Die anderen vier Wochen wollte ich dann mit meinem Schatz nach Kroatien, damit die Sonne meinem alpinaweißen Astralkörper mal etwas gesunden Teint verpasste. Mit Nada am Strand liegen, die Schwiegereltern besuchen, mit dem Bötchen rausfahren und mal entspannt Urlaub machen. Das Motorrad mitnehmen. Und die letzten zwei Wochen – so meine Planung – würde ich mich dann auf die Tour vorbereiten. Ganz langsam und in Ruhe wieder das Kraftwerk hochfahren, ganz entspannt und vor allem ohne Stress. Ich war stolz, dass ich alles in die Wege geleitet hatte, um mich vor mir selbst zu schützen. Der Plan war genial.

Dann kam mein letzter Arbeitstag, das letzte Juli-Wochenende. Und mit ihm sollte sich auf einmal alles ändern. Am 31. Juli rief mich meine Mutter an und sagte: »Hallo Jung', ich muss dir was sagen. Ich war beim Doktor. Man hat einen Tumor gefunden, ich wollte nur, dass du das schon mal weißt. Ich habe in ein paar Wochen die nächsten Untersuchungen und ich glaube, das könnte Krebs sein. Und wenn der bösartig ist, dann sieht es nicht gut für mich aus. Das wollte ich dir jetzt nur mal sagen.« Und dann legte sie auch schon auf. Da habe ich erst dreimal tief durchgeatmet und mir Mut gemacht. Ein alter Reflex, das war immer so – ob ich selbst betroffen war oder andere: Ich denk' ja erst mal ans Gute. Ich glaube einfach generell ans Gute. Dann schnappte ich mir das Telefon und redete noch mal mit Mutter. Baute sie auf, wollte sie mit positiver Energie fluten: »Mutter, jetzt komm her, jetzt mach mal keinen Wind. Mal den Teufel nicht an die Wand. Wir haben doch gerade erst deinen 75. Geburtstag gefeiert und ich bin mir mehr als sicher, du wirst 95 und fällst dann vom Fahrrad.« Was Besseres fiel mir nicht ein, ich laberte ununterbrochen, um ihr Mut zu machen. Außerdem war ich felsenfest davon überzeugt, dass meine Mutter mindestens 95 Jahre alt würde. Weil die immer so taff war, so zäh, so frech, kokett und krawetzig. Diese Frau war für mich immer eins dieser Mutterschlachtschiffe, vor denen man sein Leben lang Respekt hat. Die jeden Sturm überstehen. Ich hatte immer einen Höllenrespekt vor meiner Mutter gehabt. Meine starke Mutter … das war schon ein komisches Gefühl, ihre Angst zu spüren. Die Unsicherheit in ihrer Stimme zu hören. Ich kannte das nicht von ihr. Und das war der Auslöser für mich: »Ich habe keine Ruhe«, sagte ich zu Nada, »ich muss zu Mutter, die braucht mich jetzt. Ich spür das. Komm, wir packen den Koffer und mieten uns in ein Hotel ein.«

Dann sind wir an meinem ersten Urlaubstag mit den schlimmsten Befürchtungen runtergefahren. Aber zu meiner völligen Überraschung war die alte Dame vollkommen entspannt. Damit hatte ich so gar nicht gerechnet.

Die ganze Fahrt über hatte ich mir ausgemalt, wie das Drama seinen Lauf nehmen würde. Das volle Programm: Badewannen voller Tränen, Papierkörbe voller Taschentücher. Heulen, Fluchen und die verständliche Angst vor dem Tod und elendem Siechtum. Pustekuchen! Mutter war hellwach im Kopf und meinte lapidar: »Ja, Jung', da muss man sich mit abfinden. Wenn da irgendwas ist, dann müssen wir was machen, das ist halt im Alter so.« Ohne Selbstmitleid, einfach nur gnadenlos gerade war sie. Und verärgert: »Da hat man das erste Mal im Leben keine Schulden, ein bisschen Geld im Portemonnaie … will Urlaub machen und dann so was! Statt Traumschiff und Liegestuhl Wartezimmer und Kernspin-Röhre. Wat 'n Driss.«

Das ging mir an Herz und Gemüt. Also haben Nada und ich die Zeit bis zur ersten großen Untersuchung mit einem kleinen Urlaubsprogramm für Mutter gefüllt. Da waren wir zusammen im Kino, sind durch Düsseldorf spaziert, einkaufen gegangen, haben Blödsinn gemacht, waren zusammen essen und haben viel gelacht. Und die ganze Zeit habe ich gedacht: Warum haben wir das nicht all die Jahre vorher schon gemacht? Warum kriegt man den Hintern erst dann hoch, wenn Sturmwolken aufziehen? Wenn man Angst hat, dass die Zeit unwiderruflich abgelaufen ist?

Das Einzige, was mir extrem an Mutter auffiel: Sie hatte ordentlich Gewicht verloren. Klar, die war nie dick und rund, aber sie war halt so eine klassische, mollige ältere Dame, Typ Bilderbuch-Oma. Gemütlich, gesund, mit roten Apfelbäckchen. Aber nun war das mal. Mutter war schlank geworden und das hagere Gesicht zeigte die deutlichen Spuren ihres harten Lebens. Jedes Mal, wenn ich sie verstohlen von der Seite betrachtete, erfasste mich eine Welle trauriger Gedanken. Wenn Nada sie fragte, warum sie denn so viel abgenommen hätte, fühlte ich – weil Kinder so was eben sechs Kilometer gegen den Wind riechen –, dass Mutter uns stumpf ins Gesicht log: »Ich hab' nur die Ernährung umgestellt und bewege mich viel.« Wir haben das falsche Spiel natürlich nur allzu gerne geglaubt und mitgespielt. Ihre »gesunde« Vernunft und Disziplin gelobt. Eigentlich dumm, aber nur menschlich. Sorgen und Ängste schiebt man lieber zur Seite, wenn es sein muss, auch mit Lügen. Doch so sehr Mutter sich auch bemühte, das Kartenhaus knickte langsam ein. Sie konnte nicht mehr viel laufen. Wenn wir mit ihr durch die Stadt gingen, mussten wir alle paar Minuten anhalten und Pause machen. Mutter hatte keinen Hunger mehr, wollte nicht mehr essen. Ihre Ausflüchte wurden immer banaler: »Jung', das liegt daran, weil ich ja immer alleine bin. Da isst man nicht so viel.«

Klar, das konnte ich mir gut vorstellen. Wie schlimm muss das sein, wenn man immer alleine sitzt, sich höchstens ein kleines Bütterken macht. Wer kocht schon eine volle Mahlzeit, wenn er alleine lebt?

Dann erzählte Mutter, dass wir in meiner Kindheit und Jugend immer knapp bei Kasse gewesen waren und nie viel Fleisch gegessen hatten. Ganz selten hatte es mal einen Braten, lecker Schnitzelchen oder 'n ordentliches Butterbrot mit Leberwurst gegeben. War ja damals alles nicht finanzierbar gewesen, mein Vater war ein harter Malocher, der weiß Gott keine Reichtümer in der kargen Lohntüte hatte. Und mit dem, was man sich damals leisten konnte, war man nicht glücklich, aber zufrieden. Wie so viele andere Arbeiterfamilien dieser Nachkriegsgeneration. Als die Zeiten dann besser wurden, hatte Mutter immer mit Wonne was Deftiges verputzt. Aber davon war jetzt nicht mehr viel übriggeblieben: »Jung', ich geh einkaufen mit Lust auf Kochschinken und Leberwurst, aber sobald ich Richtung Theke komme, wird mir so übel, dass ich rauslaufen muss.« Weil sie, angeblich, kein Fleisch, keine Wurst mehr riechen könne. Das war für mich, auch wenn es absurd klingen mag, ein Alarmzeichen. Das hörte sich für mich einfach nur falsch und gelogen an. Das war nicht meine geradlinige Mutter. Da wusste ich definitiv, dass sie sehr krank war. Ab diesem Zeitpunkt hatte ich keine Lust mehr, mir ihre Ausflüchte à la »Ernährungsumstellung« und »wird schon wieder« anzuhören.

Und dann habe ich gehandelt, bei den ganzen Ärzten angerufen und vorgesprochen, damit wir die Termine schneller hinkriegen. Ich wollte nicht länger in den Nebel starren und mich ängstigen, ob die hässliche Krebsfratze auftauchen würde oder nicht. Ich wollte Gewissheit, und, wenn es so sein sollte, dem Feind ins Auge schauen.

Die gemeinsame Woche war trotzdem sehr schön. Mutter erzählte viele Geschichten noch mal, die ihr wichtig waren, und obwohl ich natürlich fast alle kannte, fielen viele von diesen alten Geschichten bei mir auf einen neuen Boden, ich ordnete sie neu ein. Natürlich hat sie uns auch darüber informiert, dass sie »schon mal was aufgeschrieben hätte«, für alle Fälle. Was sie sich vorgestellt hatte, falls »was« passieren würde.

Alles Dinge, von denen ich natürlich nix hören wollte. Mutter und Tod, das wollte ich nicht akzeptieren. Also habe ich alle ihre Gesprächsversuche zu diesem Thema ignoriert und versucht, stattdessen gute Laune zu verbreiten, Unsinn zu machen, kindisch zu sein. Wie ich das schon mein ganzes Leben lang in solchen Situationen mache, sozusagen von Kindesbeinen an. Egal wie schlecht es meiner Familie ergangen war, egal welche Schicksalsschläge das Leben mir bescherte – ich habe immer versucht, meine Ängste und Sorgen hinter der Clownsmaske zu verbergen. Einer musste ja in dem ganzen Wahnsinn gute Stimmung verbreiten. Dachte ich.

Dann kamen die Arzttermine. Kernspintomographie oder, wie es so schön heißt, ab in die Röhre. Da habe ich mir aus Sympathie auch eine Überweisung schreiben lassen, damit Mutter nicht so viel Schiss hat. Geteiltes Leid ist halbes Leid, oder Kinders? Nur – ich hatte natürlich mehr Bammel als Mutter, weil ich auf einmal darüber nachdachte, was ich denn machen würde, wenn die bei mir was Schlimmes finden. Und dann sitzt du da im Wartezimmer, das Herz rutscht dir in die Hose und die Angst kriecht dir ins Genick. Ich redete auf Mutter ein, um sie abzulenken. Bis wir aufgerufen wurden und ins Besprechungszimmer zum Professor wackelten. Der schwafelte nicht rum, sondern kam gleich zur Sache: »Ja, Frau Lichter. Die eine Niere ist drei oder vier Mal so groß, das ist nur noch ein Tumor. Leider bösartig, wie die Gewebeproben bestätigen.« Ich hörte den Mann reden wie unter einer Glocke. »Leider bösartig«, echote es. Entsetzlich! Ich traute mich kaum, zu Mutter rüberzuschauen. Kurze Pause, der Arzt sah auf ein großes Foto und kristallklar stand die nächste Hiobsbotschaft im Raum: »Gestreut in der Lunge. Tut mir leid. Das sieht wirklich nicht gut aus.« Mutter zeigte keine Regung, ich versuchte ebenfalls, gelassen zu bleiben. Dabei fühlte ich mich, als ob mich jemand stundenlang durchgeprügelt hätte.

Wir fuhren schweigend in unsere Lethargie versunken nach Hause, während mein Kopf dröhnte wie ein Braunkohlebagger. Bei Mutter angekommen, haben wir die nächsten Termine beim Onkologen in unsere Kalender eingetragen. Dann wollte sie alleine sein.

Die nächsten Tage waren grau und schwer wie Blei. Wir sprachen zwar über den Befund, aber seltsam abstrakt. Ohne irgendwelche Konsequenzen zu benennen. Die schwiegen wir tot.

Natürlich verbreiten sich schlechte Nachrichten in der Nachbarschaft auf sehr mysteriöse Weise, weil man sich nicht im Entferntesten daran erinnern kann, irgendjemandem überhaupt etwas erzählt zu haben. Die ersten Freundinnen von Mutter und Nachbarinnen klingelten an. Zu meinem großen Erstaunen reagierte Mutter sehr krass: Diejenigen, die an der Tür weinten, schickte sie rigoros weg. Egal ob gute Freundin oder nicht. Sie wurde richtig fuchtig: »Jetzt pass mal auf, nicht ihr seid krank, ich bin krank! Ihr müsst nicht weinen. Wenn ich schon nicht weine, dann müsst ihr erst recht nicht weinen. Wenn ihr hier hinkommt, dann haben wir entweder Spaß und reden anständig, aber ich will hier kein Geheule. Sonst bleibt da, wo ihr seid!« Das haben diese Menschen auch nicht richtig verstanden, glaube ich. Für die meisten war das wohl einfach sehr, sehr hart.

Hart für uns waren die nächsten Gespräche beim Onkologen. Auf meinen Wunsch hin wurde noch mal alles untersucht. Auch dieses Ergebnis war schrecklich. Gott sei Dank sprach der Professor wenigstens Klartext, zumindest habe ich das so empfunden: »Frau Lichter, wir würden von einer Operation absehen. Dieser Krebs ist nicht heilbar. Wir können operieren, ja – ob das aber dramatisch lebensverlängernd ist, kann ich Ihnen nicht versprechen. Vielleicht, aber eher nicht.« Klar, keiner der Ärzte konnte uns ernsthaft etwas versprechen, was Mutters Lebenserwartung betraf. Die haben immer gesagt: »Das kann ein halbes Jahr, das können aber auch fünf Jahre sein. Frau Lichter, wir sind nicht der liebe Gott und wir wollen auch nicht Gott spielen. Wir können nur von Erfahrungswerten reden, aber auch die werden immer mal widerlegt. Fahren Sie nach Haus und überlegen Sie ganz in Ruhe, was Sie machen möchten.«

Und dann habe ich mit Mutter tage- und nächtelang überlegt, ob eine Operation Sinn macht oder nicht. Ich versuchte mit Engelszungen, Mutter von meinem Standpunkt zu überzeugen: »Mutter, du wolltest doch immer mit einem Kreuzfahrtschiff nach Venedig. Verdammt noch mal, ich habe jetzt zwei ganze Monate frei, lass uns das machen! Deine Träume leben, Spaß haben, was erleben. Pack die Koffer und los geht's. Du kannst dich doch dann immer noch operieren lassen, wenn du unbedingt willst. Aber lass uns bitte fahren. Lass uns nach Venedig fahren, lass uns auf so ein Kreuzfahrtschiff gehen, lass uns den schönsten Urlaub deines Lebens machen!«

Ich habe geredet und geredet. Mit Milch und Honig auf der Zunge. Aber Mutter saß nur vor mir, hat zugehört und mich mit verzweifeltem Blick angesehen. Nie geweint, nie geflucht, sich nie beschwert. Bis sie ihre Entscheidung traf: »Jung', ich könnte niemals in den Urlaub fahren und wissen, der Tod wächst in mir. Das da muss raus. Wenn ich in Venedig den Gondeln zugucke, wie soll ich mich darüber freuen, wenn ich weiß, dass mein Körper voller Krebs ist und ich sterben muss?« Ich war wie vor den Kopf gestoßen, deprimiert und auch ratlos. Ich versuchte sie weiter zu begeistern und ihre Lebenslust neu anzufeuern: »Mutter, versuch doch den Moment zu genießen. Lass uns die Reise machen und danach kommst du zu uns ins Haus. Nada hat gesagt, sie kann dich pflegen, versorgen und mit den Ärzten alles regeln. Egal was da noch kommt, wir sind für dich da. Aber lass uns, solange es geht, noch gemeinsam Spaß haben.« Ich hab immer gesagt: »Egal wie du dich auch entscheidest, wir unterstützen dich.« Aber sie ließ sich nicht erweichen, nicht beirren, nicht umstimmen. Ihre Entscheidung war einsam unumstößlich. Mutter wollte die OP, um jeden Preis.

3

Klartext
im
Krankenhaus

Auf unserer Suche nach einem guten Krankenhaus waren wir in Mönchengladbach fündig geworden. Professoren, Ärzte, Pflegepersonal und Einrichtung – alles stimmte. Die Menschen dort waren aufmerksam, höflich und Mutter fühlte sich gut aufgehoben. Unser Hotel war in Neuss und somit ganz in der Nähe. Auch der Rest der Familie und ihre Freunde aus Rommerskirchen mussten keine Weltreise unternehmen, um Mutter zu besuchen. Sie war nicht erpicht auf jeden Besuch, sondern sagte klar, wen sie sehen wollte und wen nicht. Natürlich durften wir nur die Leute über ihren Aufenthaltsort informieren, die Mutter abgesegnet hatte. Da war sie wirklich eisenhart. »Mit der will ich jetzt nicht mehr reden. Die braucht hier nicht herzukommen, die hat nur geheult bei mir – das kann ich nicht ertragen. Die kann sich wieder melden, wenn ich gesund bin, vorher will ich die nicht mehr sehen.«

Sie hat dann auch ihrer guten Nachbarin, deren Mann der beste Freund meines verstorbenen Vaters gewesen war, verboten, ins Krankenhaus zu kommen. Unfassbar. Die waren ja nicht nur Nachbarn, sondern richtige gute Freunde, die über Jahrzehnte ganz eng mit meinen Eltern Tür an Tür gelebt hatten. Da ist sie an dem Tag, wo ich sie ins Krankenhaus gefahren habe, hingegangen und hat gesagt: »So, ich möchte mich verabschieden. Ich möchte nicht, dass ihr mich im Krankenhaus besuchen kommt. Ich will nicht, dass ihr mich seht, wie ich da sterbenskrank liege. Behaltet mich so in Erinnerung, wie ich mich heute von euch verabschiedet habe, denn ich glaube nicht, dass ich wieder nach Hause komme.« Wenn ich darüber nachdenke, dann werde ich verrückt.

Ich werde nie verstehen, warum sie diese Operation wollte. Wenn sie es doch so geahnt hat, dass sie nicht wiederkommt – warum hat sie sich dann diese vermaledeite Operation angetan? Warum hat sie nicht mit uns so lange auf den Tischen getanzt, wie es ihr möglich gewesen wäre? In Venedig oder weiß der Kuckuck wo. Wahrscheinlich war es ihr einfach nicht gegeben. Sie war nicht der Typ dafür. Meine Mutter war eine sehr eigenwillige Frau mit ganz klaren Vorstellungen. Auch was ihr Erscheinungsbild betraf. Einmal in der Woche ging sie zum Friseur, das hat sie durchgezogen, bis es ihr im Krankenhaus nicht mehr möglich war. Die wäre niemals ohne gemachte Haare rausgegangen, aber hallo! Die war immer picobello, wie aus dem Ei gepellt. Und Gejammer hat sie gehasst: »Jung', man jammert nicht. Schon gar nicht vor fremden Leuten. Man jammert überhaupt nie. Beiß die Zähne zusammen und sei tapfer! Und pünktlich.« Manchmal hatte ich den Eindruck, dass Mutter sich, wie viele andere ihrer Generation, das Leben ein bisschen zu schwer machte –

mit diesen Tugenden aus dem Krieg und der Nachkriegszeit. Da fehlte ihr oft die Gelassenheit, die Leichtigkeit. Ihr ganzes Leben war geprägt von »Das macht man nicht«, »Was sollen bloß die Leute denken« und »Wie es in mir aussieht, das geht keinen was an«.

In der Nacht vor der OP saß ich verzweifelt an Mutters Krankenhausbett. Und da passierte etwas sehr Seltenes und Schönes. Ich merkte – nein, ich konnte es richtig fühlen –, sie wollte unbedingt mit mir reden. Es lag ihr etwas auf der Seele. Und dann habe ich sie ganz vorsichtig gefragt, was ich unbedingt noch alles von ihr wissen wollte. Ich glaube, es war ihr mehr als nur recht. Die Geschichte, die uns wohl beide an diesem Abend am meisten bewegt hat, drehte sich um ihren lieben Mann. Meinen geliebten Papa.

Mutter erzählte, wie sie meinen Vater damals in der »Gaststätte Winkler« in Rommerskirchen kennengelernt hatte. Eigentlich war die Kneipe für ein junges Mädchen wie sie natürlich tabu, aber ihr älterer Bruder wohnte mit seiner Frau im selben Ort und so traf sich die Familie an Silvester zum Feiern in der Gaststätte. An der Theke hat sie ihren Toni dann das erste Mal gesehen und ganz keck gefragt: »Wer ist das denn? Der gefällt mir aber.« Dann ist sie mir nichts, dir nichts zum Toni marschiert und die beiden haben sich angeregt unterhalten. Das blieb seinem Vater, also meinem späteren Großvater, nicht verborgen. Ein strenger Blick, ein zweiter – und dann gab es eine Ansage: »Komm, lass das junge Mädchen in Ruhe. Die ist zu jung für dich.« In der Tat war meine Mutter zehn Jahre jünger als Papa, aber hinter dieser Deutlichkeit steckte noch etwas anderes. Mein Großvater wollte einfach nicht, dass sich sein Sohn mit Frauen beschäftigte. Der sollte schuften und sonst nix.

Mein Vater Toni war zu Hause der Malocher, der Junge für alles. An seiner Ausbildung war keiner interessiert, er sollte sich gefälligst um den Hof, das Haus und die Großeltern kümmern. Den Lohn abgeben, reparieren, malochen und essen. Wenn Papa sich ein neues Fahrrad gekauft hatte, nahm es ihm sein älterer Bruder einfach weg und schmiss ihm sein kaputtes vor die Füße. Und wenn er sich beschwerte, dann interessierte das niemanden. Seinen Vater schon gar nicht. Und sein Bruder ballte nur vielsagend die Faust. Papa war so 'ne Art Aschenputtel. Der wurde einfach verschlissen. Das war früher in Arbeiterfamilien gar nicht so unüblich, dass man einen hatte, der brutal ausgenutzt wurde und alles machen musste.

So viel war also klar: Niemand war begeistert, wenn der sich um Mädchen kümmerte und vielleicht sogar eine eigene Familie gründen wollte. Schwierige Startbedingungen für eine Liebesbeziehung. Mutter erzählte mir, dass sie sich dann heimlich getroffen hätten, im Haus ihres Bruders – ohne Kontrolle durch ein älteres Familienmitglied ging damals nämlich gar nichts. Irgendwann hat Mutter dann Nägel mit Köpfen gemacht und verkündet: »Ich werde diesen Mann in einem Jahr heiraten.« Und so passierte es dann auch, sie heirateten ein Jahr später. Es war schön, ihr zuzuhören, aber auch sehr traurig. Mit der Hochzeit begann eine harte Zeit für meine Eltern.

Ich glaube, sie wollte mir einfach mal richtig erklären, warum sie nicht immer die gütige Mutter sein konnte, die sie eigentlich hatte sein wollen. Ich habe ab einem gewissen Zeitpunkt nicht mehr alles verstanden, weil es so verdammt traurig war und ich weinen musste. Aber weinen durfte ich ja nicht, Mutter hatte mir verboten zu weinen. Wir hatten gefälligst stark zu sein, so wie sie. Immer war sie stark gewesen, ihr ganzes Leben. Das ist traurig, wenn man realisiert, dass hinter diesem Berg von Stärke ein großes Tal unterdrückter Gefühle versteckt liegt. Ich habe erst da verstanden, warum ich mittlerweile lieber weine. Wer nicht weint, ertrinkt innerlich in einem Meer voller Trauer. Aber wir Kinder sollten nicht weinen.

An diesem Abend war ich bis weit über Mitternacht bei Mutter, bis sie sagte: »Jung', ich muss schlafen. Morgen früh ist die OP.«

Ich fuhr kurz ins Hotel. Morgens um sieben Uhr sollte sie zur OP abgeholt werden. Um halb sechs Uhr war ich wieder da. Habe versucht, sie ein letztes Mal umzustimmen: »Mutter, hier ist keiner böse, keiner sauer, wenn du jetzt deinen Koffer packst und mit mir nach Hause fährst. Jetzt sofort. Du kannst dich auch in zwei Monaten operieren lassen. In drei, in fünf Monaten, egal wann. Aber wir können jetzt noch fahren. Die sind froh, wenn sie das Bett hier leer vorfinden.« Vergebens. Mutter blieb stur: »Nein, Jung', das mach ich jetzt. Ich will das jetzt alles raushaben. Das Böse muss raus.«

Als sie auf der Trage Richtung OP-Saal gefahren wurde, war ich fertig mit der Welt. Da brachen alle Dämme und meine ganze Verzweiflung musste raus. Ich habe nur noch bitterlich geweint. Alles in mir hat geschrien: »Geh nicht.« Aber ich konnte nicht schreien, nur weinen.

Die nächsten Stunden waren wie Tage. Ich fuhr zum Hotel, konnte aber nicht schlafen. Wieder raus, spazierengehen. Eine nach der anderen geraucht. Immer wieder mit Nada telefoniert. Es muss schrecklich für sie gewesen sein, weil ich entweder geheult oder ihr meine Verzweiflung geklagt habe. Als sich das Krankenhaus nachmittags endlich meldete, war ich ein Wrack. Die Information war eher dünn und wenig aussagekräftig. Irgendwie logisch, aber in dem Moment war es frustrierend: »Herr Lichter, Ihre Mutter ist jetzt auf der Intensivstation. Sie können jetzt vorbeikommen.«

Ich raste zum Krankenhaus. Als ich endlich vor Mutters Bett stand, war ich völlig schockiert. Dieses Bild vergesse ich nie. Grausam. Ihr eingefallenes Gesicht, die Schläuche, keine Zähne im Mund, die Zunge hing raus. Schrecklich. Wo war Mutter, meine geliebte Mutter? Alles, aber auch wirklich alles in mir sträubte sich, diese Person im Bett als meine Mutter zu betrachten. Nachdem ich zwei, drei Stunden bei ihr gesessen hatte, kamen die Ärzte: »So richtig wach wird sie heute nicht. Gehen Sie doch nach Hause, Sie müssen sich auch mal ausruhen. Sie können eh nichts für sie tun. Kommen Sie morgen früh wieder, dann sehen wir weiter.« Als ich am nächsten Morgen ganz früh zurückkam, sah Mutter schon etwas besser aus. Sie hatte die Brille auf und ihre Zähne wieder drin, da hatte sie wohl drauf bestanden.

Sie konnte nur schlecht sprechen: »So, Jung', jetzt hab ich 40 Prozent schon geschafft und den Rest schaff ich auch noch.« Das hat sie echt gesagt. Und da hatte ich auch für einen Moment Hoffnung. Wirkliche Hoffnung, ich wollte das ganz fest glauben. Ich war glücklich, ich hab ganz einfach gedacht: »Da ist meine Mutter wieder, der alte Drache spuckt wieder Feuer. Die schafft das, wer sonst, wenn nicht Mutter? Die schmeißt den Krebs zur Türe raus.« Ich war euphorisiert und habe sofort der Familie gesagt, wie es aussieht. Und dass Mutter das schon irgendwie packen wird. Wahnsinn. Beseelt vom Rausch der Hoffnung. Ich hätte besser vorher mit den Ärzten gesprochen, dann wäre ich wahrscheinlich etwas nüchterner gewesen. »Herr Lichter, wie es aussieht, hat Ihre Mutter die Operation gut überstanden. Aber: Die Niere, die Milz, die halbe Bauchspeicheldrüse und ein Stück Darm waren auch schon betroffen.« Deutlicher ging es nicht: Die Ärzte hatten unfassbar viel rausschneiden müssen, weil so viel vom Krebs befallen war.

Es war längst schon viel schlimmer als geglaubt. Mein Höhenflug wurde jäh gebremst, und als ich abends wieder bei Mutter am Bett saß, war mein Eindruck, dass es ihr schon wieder deutlich schlechter ging. Der Pessimismus packte mich sofort unbarmherzig an der Gurgel. Aber diesmal waren die Ärzte etwas optimistischer als ich und meinten, nach so einer schweren OP sei es klar, dass der Körper sich erst einmal stabilisieren müsste. Trotzdem hatte ich ein schlechtes Gefühl, als ich ins Hotel zurückfuhr. Eine düstere Ahnung machte sich in mir breit. Sehr traurig war ich und niedergeschlagen.

Ich fand kaum Schlaf. Gegen vier Uhr morgens klingelte mein Telefon: »Wir haben Ihre Mutter gerade in den OP gefahren. Wir müssen eine Notoperation machen, sonst verblutet Ihre Mutter innerlich.«

Nach dieser Not-OP fing Mutter sich ein bisschen und ihr Zustand war zwar, den Umständen entsprechend, nicht gut, aber relativ stabil. Nada war mittlerweile wieder bei mir, um mich zu unterstützen. Unser Ziel war, Mutter davon zu überzeugen, das Krankenhaus zu verlassen, sobald sie fit genug war. Dann wollten wir mit ihr die restliche Zeit genießen, sie verwöhnen und pflegen. Ein hehrer Plan. Dafür ließen wir nichts unversucht. Zwei Tage lang redeten wir auf Mutter ein: »Mutter, wenn du das jetzt schaffst, dann holen wir dich hier raus. Wir fahren nach Venedig, wohin du willst.«

Kataloge von Venedig, von den Kreuzfahrten, alles hatte ich mitgebacht, um sie wieder aufzubauen. Ich wollte ihr Mut machen, ihr ein schöneres Ende zeigen als Dahinsiechen im Krankenhaus. Natürlich wollte ich gute Stimmung machen. Ich wollte Mutter auf keinen Fall zeigen, wie ich mich wirklich fühlte: dass es mich innerlich fast zerriss, dass ich fertig war. Desillusioniert. Todtraurig.

Aber es war sinnlos. Sie wollte nicht mal mehr richtig mit uns reden. Sie hatte ihren eigenen Plan. Noch rückte sie nicht damit heraus, aber wir kamen auch so dahinter, nur wenige Tage später.

Wir waren morgens ins Krankenhaus gefahren und in dem Moment, als wir auf der Station eintrafen, kam uns Mutter im Bett entgegengerollt, mit einer Eskorte von Krankenschwestern und Ärzten. Eine erneute Not-OP sei sofort erforderlich, sagten die, und: »Herr Lichter, gut, dass Sie kommen. Ihre Mutter muss schon einwilligen, sonst wird sie sterben.« Da wurde mir schlagartig klar, was Mutters Plan war. Sie wollte sterben. Sie hatte mit dem Leben abgeschlossen, es sollte einfach schnell mit ihr zu Ende gehen. Ich fühlte mich so schrecklich unbarmherzig, als ich zu ihr sagte: »Mutter, jetzt musst du einwilligen. Ich, wir … wir können dich doch jetzt nicht hier innerlich verbluten lassen. Das geht nicht. Jetzt musst du da rein! Du kannst nicht hier liegen und sagen, ›dann verblute ich eben in den nächsten paar Stunden!‹.«

Und dann haben sie die Ärzte noch mal operiert – die dritte OP. Danach kam sie wieder auf die Intensivstation und alles war schlimmer als am Anfang, nach der ersten Operation. Und von da an wurde es auch nie mehr besser. Weil Mutter sich aufgegeben hatte. Meine Mutter wollte endlich sterben.

Sie redete immer weniger und irgendwann sagte sie gar

nichts mehr. Wir konnten reden, was wir wollten, über schöne Dinge, über Trauer, über Gott und die Welt. Mutter reagierte nicht mehr. Ich habe die Ärzte und Schwestern gefragt, ob sie wüssten, warum sie nicht mehr redete. Da guckten die mich erstaunt an: »Nein, nein, Herr Lichter. Ihre Mutter redet.« Ich war fassungslos, konnte es kaum glauben. Aber es war wohl so: Sobald ein Weißkittel reinkam und sie ansprach, hat Mutter reagiert. Und zwar sehr unwirsch, böse, bitter. Sie beschimpfte Ärzte und Pfleger, sie sollten sie doch alle in Ruhe lassen, sie wolle sterben. Sie sagte wortwörtlich zu denen: »Ich will endlich sterben.« Aber mit uns hat sie kein einziges Wort gesprochen.

Nach zehn oder zwölf Tagen auf der Intensivstation – die sich wie einer anfühlten, weil jeder Tag gleich ablief, es war wie im Film »Und täglich grüßt das Murmeltier« – fühlte ich mich wie eine stupide Maschine. Die fuhr morgens hin, ging mittags für zwei Stunden, fuhr nachmittags wieder hin und blieb dann bis spätabends bei Mutter. Jeder Tag war gleich furchtbar, man konnte einfach nichts ändern.

Um diese grausame Stille zwischen uns erträglich zu machen, die nur gebrochen wurde vom nervtötenden Piepen und Surren der Maschinen, fuhr ich nach Rommerskirchen zu einem alten Elektroladen, den ich noch aus meiner Kindheit kannte. Ich kaufte einen CD-Spieler, besorgte mir ein paar Hörbücher wie »Der Hundertjährige, der aus dem Fenster stieg und verschwand«, weil ich das Buch wunderschön fand. Natürlich wollte ich vor allem auch Mutter ablenken, sie unterhalten, in eine andere Welt entführen. Ich dachte, das wäre eine gute Idee. Also kaufte ich das alles und baute es gutgelaunt in ihrem Zimmer auf. Ich sagte – ich sprach ja immer mit ihr, obwohl sie nicht antwortete: »Mutter, jetzt schau dir das an! Damit du hier nicht nur über dich nachdenkst und Trübsal bläst, hab' ich dir was Wunderschönes mitgebracht. Jetzt lachen wir uns mal ein bisschen die Sorgen weg.«

Und dann passierte es. Mutter richtete sich mühsam in ihrem Bett auf und sprach mich an. Urplötzlich und ohne Vorwarnung. Das alleine erwischte mich schon völlig auf dem falschen Fuß. Aber was sie dann sagte, das hat mir den Boden unter den Füßen weggezogen. Diese Worte werde ich mein Leben lang nicht vergessen: »Junge, meinst du nicht, dass es langsam mal Zeit wird, dass du aufhörst mit dem Blödsinn, den du immer machst? Hör endlich auf, der Clown zu sein. Die Zeit für Spaß ist vorbei, Junge. Geh jetzt und komm morgen wieder, wir müssen ernsthaft reden.«

Sprachlos stand ich auf, verließ das Zimmer und fuhr zurück ins Hotel, völlig perplex.

4

Der unbelehrbare Clown

Im Hotelzimmer saß ich ungefähr zwei Stunden auf einem Stuhl und starrte die Wand an. Ich war verwirrt, total von der Rolle. Gekränkt, schockiert, verzweifelt, wütend. Fühlte mich abgekanzelt, gemaßregelt wie ein Fünfjähriger. Da ist man über 50 Jahre alt, hat sich hart zum Erfolg malocht und die eigene Mutter, die todkrank im Bett liegt, fährt einem über den Mund, als wäre man immer noch ein dummes Kleinkind. »Hör endlich auf, der Clown zu sein. Die Zeit für Spaß ist vorbei, Junge.« Immer wieder hörte ich ihre Stimme. Müde, tadelnd und abwertend. Als ob ich ihr immer nur Kummer bereitet hätte.

Horst, der Clown, der für alle immer Blödsinn macht. Sie sagte das so verärgert, so verachtend. War ich in ihren Augen das Sorgenkind? Ich saß nur da und dachte nach, versuchte, mich in meine Mutter hineinzuversetzen, sie zu verstehen. Versuchte, mir ein klares Bild von unserem Verhältnis zu machen. »Welchem Verhältnis?«, dachte ich. Mir wurde schmerzhaft klar, dass Mutter und ich nie ein sehr inniges Verhältnis zueinander gehabt hatten. Ich war immer ein Papa-Kind. Papa war mir immer der Liebste. Obwohl – oder weil? – er eigentlich nie da war, denn er hat ja immer nur gearbeitet. Papa hatte mich nie geschlagen. Einmal ist er mit dem Besen hinter mir hergelaufen, aber er hat mich nicht gekriegt. Weil er mich sowieso nicht kriegen wollte. Mutter? Ich weiß nicht, wie oft die mir den Arsch versohlt hat. Aber daran konnte ich mich sehr wohl erinnern. Woran ich mich nicht erinnern konnte, sosehr ich das auch wollte, waren Zärtlichkeiten, Schmusereien. Oder mal am Sonntagmorgen eine große Kuschelei im Bett. Hatten wir gemeinsam Lieder gesungen? Hatte sie mir Geschichten erzählt oder vorgelesen? Waren wir im Zoo gewesen oder etwa auf dem Rummelplatz? Ich wusste es nicht mehr und fühlte mich deswegen hundeelend. Dann dachte ich, bestimmt haben wir das alles gemacht und ich habe es einfach nur vergessen. Aber wenn ich ganz tief in mich hineinhorchte, war da diese traurige Kinderstimme, die sagte: »Nein, das hat es alles nicht gegeben.«

Ich fragte mich, ob etwas mit Mutters Liebe zu mir nicht stimmte. Fast überglücklich fiel mir ein, dass sie mir immer, wenn ich krank gewesen war, einen Kuchen gebacken hatte. Aber mit körperlicher Nähe hatte das streng genommen natürlich auch nichts zu tun. Da saß ich also verunsichert und traurig in meinem Hotelzimmer und weinte. Ich hoffte, dass die Tränen etwas von dieser trostlosen Traurigkeit fortspülten. Meine Gedanken drehten sich um Mutters Worte. »Warum habe ich immer Blödsinn gemacht? Was genau meinte sie mit Blödsinn? Was ist daran so falsch, ein Clown zu sein? Mein Humor und meine Lebenslust haben mir durch so viele Schicksalsschläge geholfen. Mir bei meiner Karriere im Fernsehen geholfen. Das mögen doch die Leute an mir.« Ich hatte immer geglaubt, genau das sei authentisch an mir. Aber jetzt hatte Mutter den Glauben mit zwei Sätzen zerstört. War ich nur aufgesetzt lustig? Versteckte ich mich hinter der Clownsmaske? War ich ein ganz anderer Mensch? Mochte ich deswegen so gerne das Lied von Heinz Rühmann?

»[…] Der Clown, der Clown
war immer lustig anzuschaun,
doch keinen ließ der Clown, der Clown
in sein Herz hineinschaun […]«

Meine Kindheit war hart. Das Leben für meine Eltern war auch sehr hart. Wie viele der Kriegskinder-Generation kannten sie Armut, Hunger und Entbehrungen. Sie waren ohne viel Zuneigung und Wärme aufgewachsen, wie sollten sie also etwas weitergeben können, das sie nicht kannten. Nie erlebt hatten. Die Zeiten haben sich geändert und das ist gut so. Dieses ganze »gelobt sei, was hart macht« und »schreiende Babys bekommen eine starke Lunge« hat sich Gott sei Dank weitgehend erledigt. Gewalt gegen Kinder ist gesellschaftlich geächtet und wird völlig zu Recht bestraft. Als ich Kind war, durfte jeder Erwachsene Kinder schlagen. Lehrer, Pfarrer, Eltern – der dazugehörige Spruch war: »Hat noch keinem geschadet« oder etwas zynischer »Leichte Schläge auf den Hinterkopf erhöhen das Denkvermögen«. Wahnsinn.

Wir lebten mit den Eltern meines Vaters und seinem Bruder in einem Haus. Wir wohnten unten. Die oben machten meiner Mutter das Leben zur Hölle. Alkoholkrank und nur am Meckern, das war mein Onkel. Ein richtiges Arschloch, das seine ganze Umgebung malträtierte. Ein böser und unangenehmer Mensch. Während mein Vater sich von frühmorgens bis spätabends den Rücken krumm schuftete, zoffte sich über uns der versoffene Rest der Familie. Meine Mutter wusch Wäsche, kaufte ein und pflegte die kranken Schwiegereltern. Das war kein schönes Leben für eine junge Frau. Viel Arbeit, Armut, alkoholkranke Menschen und eigene Kinder – wer würde da nicht manchmal verzweifeln? Meine Mutter war immer am Limit ihrer geistigen und körperlichen Kräfte. Und das haben wir zu spüren bekommen. Diese aufgestaute Verzweiflung, diese Wut über die nicht zu ändernden Zustände waren sicher eine nachvollziehbare Ursache für ihre oft aggressive, aufbrausende Art gegenüber Vater und mir. Eine Geschichte werde ich nie vergessen: Mutter hatte mich losgeschickt mit ihrem Portemonnaie, um Schuhe beim Schuster abzuholen. Im Geldbeutel waren zehn Mark drin, für uns ein Vermögen. Auf dem Rückweg vom Schuster kam ich unglücklicherweise an einem kleinen Laden vorbei, an dem draußen ein Kaugummiautomat hing. So ein Kaugummiautomat hatte auf Kinder damals eine Anziehungskraft wie heutzutage eine Playstation oder ein Handy. Wie von Geisterhand angezogen stand ich vor dem knallroten Automaten der Verheißung und wollte nichts sehnlicher als eine dieser dicken, bunten Kaugummikugeln. Ich konnte sie schon auf meiner Zunge schmecken, herrlich süß mit einer sauren Brausefüllung im Inneren. In mir brodelte der Konflikt. Ich wägte sorgsam ab, bis mir eine Idee kam: Da der Schuster mir keine Rechnung gegeben hatte, hab' ich gedacht »ach komm, da fallen zehn Pfennig nicht auf« … und dann habe ich mir einen Kaugummi gezogen.

Betont unauffällig setzte ich mich zu Hause mit an den Abendbrottisch. Dann sagte Mutter: »Und Junge, was haben die Schuhe gekostet?« Darauf war ich natürlich bestens vorbereitet und antworte: »Zwei Mark sechzig.« Die zehn Pfennig hatte ich natürlich schon obendrauf gerechnet.

Es schien zu funktionieren, doch dann sagte sie: »Gut. Wo ist das Portemonnaie?« Der Blitz des Unglücks traf mich mitten ins Herz und mir wurde augenblicklich klar, dass ich das Portemonnaie auf dem Kaugummiautomaten vergessen hatte. Vor Schreck sprang ich sofort auf und rannte los. Mutter tobte. Sie schrie wie eine Furie hinter mir, ich sollte bloß nicht mehr ohne Portemonnaie nach Hause kommen.

Ich bin gerannt, so schnell mich meine kleinen Beinchen trugen, denn der Automat war weit weg, im Dorfkern. Das waren mindestens drei Kilometer. Als ich endlich ankam, atemlos vor Anstrengung und Angst, war das Portemonnaie natürlich weg. Ich lief verzweifelt weiter zum Schuster, fragte alle, die dort waren, ob jemand eine Geldbörse gefunden und abgegeben hätte. Aber es hatte keiner was gefunden. Dann lief ich raus und suchte überall wie bekloppt. Das Portemonnaie war weg! Ich traute mich kaum nach Hause, hysterisch vor Angst. Lief dann noch mal zurück ins Dorf, um alles noch mal abzusuchen. Zwecklos. Über die sieben Mark und 40 Pfennig wird sich wohl jemand sehr gefreut haben. Wie schon gesagt, das war eine Menge Geld damals.

Als ich zitternd nach Hause kam, ging es gleich zur Sache. Mutter machte kurzen Prozess und ließ ihrer Wut freien Lauf. Sie zerrte mich in die kleine Wäschekammer und verhaute mir den Hintern, bis mir Hören und Sehen verging. Völlig enthemmt. Sie schrie rum und das bisschen, was ich in dem Inferno verstanden habe, war, dass diese sieben Mark 40 wohl das letzte Geld für den Rest des Monats, ungefähr zehn Tage, waren.

Als mein Vater mich dann aus der Kammer geholt hat,

damit ich noch etwas essen konnte, schmiss Mutter mir das Brot auf den Teller und sagte voller Wut: »So, wenn du schon das ganze Geld wegwirfst, dann iss jetzt auch noch den Rest, den wir haben.« Und das war schlimmer als die harten Schläge vorher in der Kammer. Bis mein Vater endlich einschritt: »Lass den Jungen jetzt endlich in Ruhe. Herrgott nochmal, Margret.« Er hasste diese Erziehungsmaßnahmen. Er hatte auch dauernd Krach mit Mutter darüber. Der war immer lieb. Der war einfach *zu* lieb. Und ist leider auch zu früh gestorben.

Natürlich habe ich immer viel Blödsinn gemacht. Vielleicht, weil ein hartes Kinderleben einfach erträglicher wird, wenn man es sich lustig macht. Dass diese ganzen Streiche und Klassenclownaktionen meiner Mutter zusätzlich das Leben erschweren könnten, hatte ich als Kind natürlich nicht bedacht. Für Mutter war ich immer ein Problemkind, das nur Flausen im Kopf hatte und von einem Schlamassel in den nächsten schlitterte. Sei es aus Blödsinn, aus Naivität oder Unvorsichtigkeit.

Vielleicht hat sie mich ja doch wahnsinnig geliebt, sich aber einfach zu viel Sorgen um mich gemacht. Manchmal war das auch sicherlich berechtigt, denn ich habe vieles losgetreten, ohne die Konsequenzen dabei zu bedenken.

Wie zum Beispiel damals beim Hausbau mit meiner ersten Frau. Wir hatten festgestellt, dass uns 50 000 Mark fehlten. Da bin ich natürlich zu meinen Eltern gegangen und wollte, dass sie für mich bürgen. Das hat Mutter jedoch rigoros abgeschmettert: »Nein, du hast das Grundstück geerbt, Junge. Wir bürgen nicht für dich. Ansonsten musst du halt jetzt schon alles verkaufen. Da musst du selber mit klarkommen.« Feierabend, damit war die Diskussion beendet. Ich war Mutter nicht verlässlich genug, zu sprunghaft. Sie hatte eine bestimmte Vorstellung davon, wie ich mein Leben gestalten sollte – und der habe ich eben permanent nicht entsprochen. Sie wollte auch nicht, dass ich von der Schule ging, um Koch zu werden. Selbst als ich schon Koch war, sollte ich lieber wieder zur Schule gehen. Der schwierige Hausbau, der Laden, die Scheidung – das war in ihren Augen alles meine Schuld, weil ich ja unbelehrbar war. Unbelehrbar, genau das war ihr Wort.

Als ich nach ihrem Tod die Wohnung aufräumte, fiel mir ihr Tagebuch aus einer der Kisten entgegen. Natürlich setzte ich mich hin und fing an zu lesen und nach ein paar Einträgen stieß ich auf diesen:

»Horst hat uns heute seine nächste Frau vorgestellt. Nada, eine Kroatin. Sehr sympathische, nette junge Frau. Ich hoffe, dass es die letzte für ihn ist. Noch mal habe ich nicht die Kraft, mich für eine neue Frau zu öffnen. Der Unbelehrbare!«

Was ich auch machte, es war in ihren Augen falsch: zu früh geheiratet, das Theater mit meinem ersten Hausbau, die Anfänge der »Oldiethek«, dieses rudimentär zusammengehauene Konzept – das war alles eine Katastrophe für meine Mutter. Vielleicht hat sie sich nicht für mich geschämt, aber maßlos aufgeregt hat sie sich natürlich. Aus heutiger Sicht kann ich das zwar nachvollziehen, aber die Jugend hat ein Anrecht auf eigene Erfahrungen und Fehler.

Ich war 28 und mein Leben war alles andere als normal verlaufen: Ich war zweimal dem Tod von der Schippe gesprungen, hatte ein Kind verloren, mit Müh und Not ein Haus gebaut und eine junge Familie zu ernähren ... das einzig Sichere war meine Arbeitsstelle als Malocher bei der Braunkohlefabrik. Oder anders gesagt: Eigentlich konnte ich bis zur Rente gucken. Selbst wenn Mutter sich etwas anderes gewünscht hatte, so saß ich doch immerhin, nach Anlaufschwierigkeiten, einigermaßen fest im Sattel. Und dann kam ich an und erzählte meiner Mutter und meiner Frau, dass ich eine alte Scheune gemietet hätte, um daraus ein Restaurant zu machen. Ohne einen Pfennig Geld in der Tasche, aber mit ordentlich Schulden am Arsch. Das war für Mutter ein Schlag ins Gesicht und der letzte ihr noch fehlende Beweis: Ab jetzt war ich der Unbelehrbare.

Bis ich richtig erfolgreich wurde, haben sich alle Verwandten für mich eigentlich nur geschämt. Mutters Schwester half zwar bei der Eröffnung mit, aber am nächsten Tag gab sie ihr noch mal so richtig einen mit: »Mein Gott, der Jung' mit diesem Laden, das ist ja grausam! Mitten im Müll versucht der da Pfannkuchen zu verkaufen. Was machst du nur mit deinem Horsti?«

Als das Restaurant dann lief und meine Nase immer öfter im Fernsehen und in der Zeitung zu sehen war, da hat sich die ganze Mischpoke natürlich schnell beruhigt. Da war ich plötzlich zum Angeben eine solide Bank. Auch Mutter entspannte sich merklich und unser Verhältnis wurde besser.

Am besten gefiel sie mir, wenn sie über ihren Schatten sprang und sich einfach gehen ließ. Wenn sie endlich mal vergaß, was die Leute denken könnten und ob sich das jetzt schickt oder nicht. Dann konnte Mutter herrlich albern sein und jeden Blödsinn mitmachen. Wenn ich nach Hause kam und wieder ein verrücktes Motorrad gekauft hatte, hat sie sich hinten draufgesetzt. Dann sind wir im Dorf die Straße rauf und runter gefahren und sie hat gejuchzt wie ein fröhlicher Teenager. Das habe ich geliebt, da war ich richtig glücklich.

Mit steigendem Einkommen habe ich auch oft versucht, ihr schöne Dinge zu ermöglichen. Ich wusste ja, dass Mutter mit dem Geld immer scharf rechnen musste. Sie bekam ihre Rente, aber mit ihr konnte sie keine großen Sprünge machen. Also hat sie nebenbei gearbeitet und sich was dazuverdient. Schön im gesetzlichen Rahmen. Das kleine Häuschen in Ordnung gehalten und oben die Wohnung vermietet, damit sie nicht verkaufen musste. Natürlich hatte sie dennoch nie genug Geld, um sich ein neues Auto zusammenzusparen. Sie fuhr den alten Ford Fiesta auf, den Papa schon gebraucht gekauft hatte. Also bekam sie von mir ein neues Auto, da war Mutter sehr glücklich. Da hat sie geweint vor Freude und ist stolz wie Oskar damit überall hingefahren. Hat überall angerufen und verkündet: »Mein Junge hat mir ein neues Auto geschenkt.« Sie war überglücklich und ich war überglücklich, weil sie sich so freute. Aber Mutter wäre nicht Mutter, wenn sie sich nicht über eine Sache noch viel mehr gefreut hätte. Und dabei ging es natürlich wieder um mich.

Als ich ihr mal beiläufig erzählte, dass ich alle meine Schulden getilgt hatte, also das erste Mal in meinem erwachsenen Leben wirklich schuldenfrei war, da war sie noch glücklicher. Dass ihr unbelehrbarer Junge keine Schulden mehr hatte, war ihr mehr wert als das eigene Glück. Sie gehörte zu der Sorte Mensch, für die ein anständiges, schuldenfreies Leben mit gesichertem Arbeitsplatz gleichbedeutend war mit Glück. Glück war so was wie eine Konstante: Wer einmal geheiratet hatte, blieb auch verheiratet. Egal ob die Liebe irgendwann verloren ging. Das Leben ist schließlich kein Wunschkonzert. Diese Einstellung war ja in der Generation der Kriegskinder weit verbreitet.

Ich war dagegen seit meinem 14. Lebensjahr bereit, für

meine eigene Definition von Glück was zu riskieren. Es zu suchen. Ich wusste immer, dass ich es zu Hause nicht finden würde und dass meine Mutter mir bei der Suche nicht behilflich sein würde. Ich würde gerne sagen, dass meine Kindheit eine glückliche war. Aber die Erinnerungen daran habe ich wohl verdrängt, das ist mir in den vielen Stunden an Mutters Krankenbett klar geworden. Meinen lieben, friedfertigen und ruhigen Vater habe ich schwer idealisiert, auch wenn mir bewusst ist, dass ich nur wenig Zeit mit ihm verbracht habe. Ob er auch von mir so heroisiert worden wäre, wenn er wie Mutter alles mit mir hätte regeln müssen ... wer weiß?

Das ändert aber nichts an der Tatsache, dass Mutter und ich ein sehr schwieriges Verhältnis zueinander hatten. Wir waren wohl nicht fähig, unsere Liebe von den ganzen charakterlichen Unterschiedlichkeiten zu trennen und mehr zu pflegen. Wir haben von unserer eigenen Standpunktinsel aus auf den anderen gesehen. Wir wollten, dass der andere seine Insel aufgibt, rüberkommt und sagt: »Stimmt, bei dir ist alles besser und richtig.« Aber so funktioniert das natürlich nicht.

Mutter hat in mir nur den Clown gesehen, der Blödsinn macht. Auch sie konnte ja durchaus locker und fröhlich sein und vielleicht wollte ein Teil von ihr öfter so sein wie ich – aber es war ihr nicht gegeben und war mir nicht gegeben. Wie ich jetzt da so saß in meinem stillen Hotelzimmer, wurde mir auf einmal klar, warum Mutters Sätze mich so verletzten. Ich wäre am liebsten sofort zu ihr zurückgefahren und hätte sie gefragt: »Mutter, was glaubst du, warum ich immer den Clown geben muss? Warum ich so oft Blödsinn mache? Weil das Leben für mich schon hart und bitter genug war, darum. Ich hab selber all die Jahre geglaubt, ich wäre die rheinische Frohnatur. Der liebenswerte Luftikus mit dem lustigen

Zwirbelschnurrbart. Aber vielleicht bin ich das ja gar nicht? War das all die Jahre nur eine Methode, meine Traurigkeit in Schach zu halten?«

Ich merke, dass ich mich verändere – seit dem Tag, an dem Mutter mir sagte: »Hör endlich auf, der Clown zu sein, die Zeit für Spaß ist vorbei.« Wenn ich Spaß mache, dann nicht mehr so unbeschwert wie zuvor. Ich begann schmerzlich zu akzeptieren, dass es auch diese traurige, schwere Seite in mir gibt. Dass der fröhliche Horst Lichter von Bühne und Fernsehen nur ein Teil von mir ist und ich den anderen Teil, den traurigen, viel zu lange unterdrückt habe. Ich begann zu ahnen, dass ich nicht mehr allen Menschen gefallen möchte. Dass ich weder beruflich noch privat Zeit mit Menschen verbringen will, die es nicht gut mit mir und meinen Lieben meinen. Keine Zeit mehr für Arschlöcher.

Bisher habe ich mein Leben nach der Maxime gelebt, Konflikten möglichst aus dem Weg zu gehen. Am liebsten über Autos reden, über schnelle Mopeds und die angenehmen Seiten des Lebens.

Seit Mutters Tod unterhalte ich mich mit den Menschen lieber über ernste Dinge. Ich sehe viel Traurigkeit und möchte den Menschen gerne helfen. Die längste Zeit bin ich auch der Traurigkeit aus dem Weg gegangen. Ich war so lange harmoniesüchtig. Habe so lange lieber Blödsinn gemacht. Nach Mutters Tod hatte ich große Angst, dass ich diese Fröhlichkeit nicht wiederfinde, aber jetzt nicht mehr. Ich habe genug Platz in mir. Der Clown darf traurig sein und der Spaßmacher kann ernsthaft sein. Licht und Schatten, es gibt das eine nicht ohne das andere.

Ich bin mir heute ganz sicher, dass Mutter diese Sätze nicht böse, nicht nur verächtlich meinte. Sie wollte wohl, bevor sie stirbt, mit letzter Kraft auf mich einwirken, mir sagen: »Junge, hör auf, dir selber etwas vorzumachen. Finde zu dir, akzeptiere auch die ernsthafte Seite in dir. Versöhne die schwermütige Seite mit deiner heiteren Seite, bevor es zu spät ist. Du bist zu alt, um immer nur kindisch zu sein und allen Konflikten aus dem Weg zu gehen.«

Und wahrscheinlich konnte sie es so nicht sagen. Sie sagte es eben in ihren eigenen Worten. Strenge Worte zu sich, strenge Worte zu anderen. Manchmal auch unbarmherzige, nicht gerade gütige Worte. Aber ich weiß tief in mir drinnen, dass sie es gut meinte. Weil sie mich liebte – auf ihre Art und Weise. Schwer zu verstehen und schwer zu akzeptieren, aber ich bin auf einem guten Weg. Der unbelehrbare Clown lernt doch noch was. Danke, Mutter!

5

Mutters
Ende

»Hör endlich auf, der Clown zu sein. Die Zeit für Spaß ist vorbei, Junge. Geh jetzt und komm morgen wieder, wir müssen ernsthaft reden.«

Ernsthaft reden? Was Mutter darunter verstand, eröffnete sie mir am nächsten Tag. Sie zeigte mir ihre Patientenverfügung. Sie wollte, dass die lebenserhaltenen Maschinen abgeschaltet werden. Sie wollte nicht länger gequält werden. Wörtlich sagte sie zu mir: »Ich weiß, dass ich sterben werde. Ich möchte verbrannt werden. Ich will ein kleines Grab mit einem kleinen Stein drauf.« Und damit war Ende der Audienz.

Also habe ich ein paar Tage nach Mutters dritter Operation die Ärzte gefragt: »Wie lange hat Mutter noch?« Gute Idee, weil: Frag einen Arzt und du bekommst eine Meinung. Frag fünf Ärzte und du bekommst fünf Meinungen. Von drei Tagen, vier Wochen bis »Ihre Mutter hat ein starkes Herz, die packt das« war dann auch alles dabei. Dass Mutter ein starkes

Herz hatte, war mir auch neu, Mutter hatte ja permanent von ihrem schwachen Herzen erzählt, wegen dem sie sich jahrelange täglich verschiedene Herzmedikamente reingepfiffen hatte. Völlig umsonst vermutlich, was für ein unglaublicher Schwachsinn. Die Ärzte wollten sie gerne auf der Intensivstation behalten, da wäre die Versorgung einfacher gewesen. Drei Patienten auf eine Krankenschwester statt zwanzig Patienten auf eine Pflegekraft. Aber Mutter zeigte auch in dieser Sache ihren unfassbaren Dickschädel. Ihr Kalkül war für sich gesehen logisch, aber trotzdem kindisch und absurd: Mutter wollte sterben, aber dachte sich, dass man sie auf der Intensivstation nicht sterben lässt. Sie meinte, wenn sie auf ein normales Zimmer käme – also ohne die ganzen Apparate und Tropfe –, dann würde sie ohne weiteres großes Leid schnell erlöst werden. Das war natürlich ein tragischer Irrtum.

Als wir sie endlich mit viel Glück in ein normales Einzelzimmer verlegen konnten – da registrierte Mutter entsetzt, dass die ganze Batterie mit Geräten und Spritzen-Armada auch dort installiert wurde. Und ab dem Moment sprach sie nie wieder ein Wort mit mir. Knallhart zog sie das durch: Sie redete weder mit mir noch mit Nada. Sie schrie, jammerte oder weinte auch nicht. Nein. Nix, gar nix. Mit ihrer Schwester und den Krankenpflegern redete sie. Aber nicht mit uns. Warum? Ich habe keine Ahnung. Jeden verdammten Tag frage ich mich, warum. Manchmal dachte ich, sie will mich bestrafen, manchmal dachte ich, sie will nur nicht jammern und bemitleidet werden. Verrückt war das, einfach unbegreiflich. Was hatte ich ihr angetan, dass sie nicht mehr mit mir reden wollte? Das Schlimme ist, dass ich es nie mehr erfahren werde, sie hat das Geheimnis mit ins Grab genommen. Zurück bleibt meine quälende Erinnerung: Wie sie da einfach nur stumm in ihrem Krankenzimmer liegt und in die Ecke starrt. Mit Panik in den Augen.

Während Nada und ich uns die ganze Zeit den Mund fusselig redeten. Sonst wird man irre. Oder wir waren es schon längst, schließlich sind wir morgens gekommen und den ganzen Tag bis auf kurze Unterbrechungen geblieben. Mutters Schweigen war schon schwer genug auszuhalten, aber nicht auszudenken, wenn wir auch nichts gesagt hätten. Stille kann so schmerzhaft sein wie Lärm. Wir führten also Selbstgespräche, erzählten Belanglosigkeiten aus der Nachbarschaft oder lasen aus irgendwelchen Regenbogen-Schmierblättern vor. Für alles andere war mein Nervenkostüm sowieso zu dünn. Mutter war zwar körperlich da, aber trotzdem nicht anwesend, das war teilweise extrem bizarr. Die meiste Zeit starrte sie einfach in die Ecke. Augen sind die Fenster zur Seele, und in diesen Augen konnte ich jeden Tag ihre Verzweiflung sehen, ihre Schmerzen und ihre Panik. Das machte mich fertig. Ihr in die Augen zu gucken, war für mich zum Teil unerträglich. Natürlich bekam sie was gegen Schmerzen, wahrscheinlich hätte man mit der täglichen Dosis einen Elefanten einschläfern können. Sie bekam sogar mehr, als man ihr eigentlich hätte geben dürfen. Aber in ihren Augen sah ich die Schmerzen. Immer starrte sie in die Ecke. Dieser Blick in die Ecke, dieses Nichtreden haben mich zerfressen. Ich war voller Sorge und Kummer. Aber gleichzeitig machte mich die ganze Chose auch fürchterlich hilflos und aggressiv. Ich habe mir jeden vom Pflegepersonal geschnappt und angeranzt: »Kümmert euch um Mutter, wenn ich nicht hier bin. Wehe, ich kriege mit, dass ihr euch nicht kümmert. Ich mach euch fertig, ich warne euch!«

Schrecklich, wie tief man fallen kann. Das sind so Sätze,

die mich nicht mit Stolz erfüllen. Ich war einfach am Limit und drüber. Ist aber keine Entschuldigung, Kinders. Nicht, dass wir uns falsch verstehen.

Die ersten Tage hatte noch Mutters Schwester bei ihr im Zimmer geschlafen. Für mich war das auf keinen Fall in Frage gekommen. Nach dem ganzen Mist, den ich selber mit meinen Schlaganfällen im Krankenhaus erlebt hatte, ist mein Bedarf an Übernachtungen in Klinikbetten gedeckt. Ich hatte mir geschworen, dass ich nie wieder freiwillig dort schlafen würde. Aber einer musste ja immer bei ihr bleiben, nur für den Notfall. Irgendwann bin ich mal drei Tage nicht ins Krankenhaus gegangen, weil ich einfach nicht mehr konnte. Erholt hatte ich mich nicht, mein schlechtes Gewissen war derartig groß, dass es wahrscheinlich besser gewesen wäre, einfach weiterzumachen wie vorher. Am Bett sitzen, abwechselnd mal Nada, mal ich. Damit einer von uns schlafen konnte, mal eine rauchen oder kleine Besorgungen erledigen. Aber einer von uns hielt immer Mutters Hand, streichelte sie. Und immer wieder: vorlesen, reden, vorlesen. Ab und zu kam Besuch, dann sind wir kurz runter, um ein bisschen spazieren zu gehen. Irgendwann konnte auch Mutters Schwester nicht mehr und wollte nicht mehr im Krankenzimmer schlafen. Nun war es wohl an mir, meinen Eid zu brechen: Sosehr sich alles in mir sträubte – ich konnte Mutter nicht im Todeskampf alleine lassen. Niemals. Ich ging zur Stationsschwester und orderte noch ein Gästebett. Und dann haben Nada und ich bei Mutter im Zimmer geschlafen. Obwohl sich alles in mir dagegen wehrte. Verfluchte Krankenhäuser!

Die nächsten Tage kamen mir vor wie eine Ewigkeit. Es könnten drei Tage, es könnten aber auch zwei Wochen gewesen sein, ich erinnere mich nicht mehr genau. Ich will mich auch nicht mehr genau erinnern.

Eines Tages sagten die Ärzte, dass Mutter bald erlöst wird. Das Ende wäre nah. Sie mussten schon ein paarmal Wasser aus der Lunge holen und ihre tägliche Morphium-Dosis wurde stetig erhöht. Und trotzdem sah ich noch die Schmerzen in ihren Augen. Die Krankenschwestern meinten, das wäre Unsinn. »Ihre Mutter hat keine Schmerzen, das sind Reflexe.«

Beim Wort »Reflexe« kam mir eine Idee: Mutter hatte doch Gicht! Vorsichtig tippte ich an ihren bandagierten Unterschenkel. Die arme Frau zuckte zusammen vor Pein, trotz Morphium. Wütend schnappte ich mir die Schere, behutsam schnitt ich die ganzen Bandagen auf und starrte entsetzt auf Mutters entzündete Beine. Von wegen keine Schmerzen.

Dann kam die letzte Nacht. Der liebe Gott zeigte endlich Erbarmen. Die Ärzte, die Schwestern – alle waren sich einig: Es kann nur noch Stunden dauern. »Machen Sie sich bereit.« Wir waren bereiter als bereit – wir hatten sogar, weil alle meinten, ein Hospiz wäre besser als sterben im Krankenhaus, uns nach einem freien Hospizplatz in der Nähe erkundigt.

Ich hatte überall rumtelefoniert. Ironie des Schicksals: Nix ging. Aber ausgerechnet an dem Tag, wo es hieß, »jetzt wird sie sterben«, kam mittags ein Anruf. Wir sollten alles in die Wege leiten, es gäbe diesen wunderschönen Hospizplatz ganz in der Nähe von Mutters Schwester. Was natürlich auch für die Verwandten gut gewesen wäre. Ich habe dann mit den Ärzten gesprochen. Die meinten nur: »Ganz ehrlich, Herr Lichter, tun Sie das Ihrer Mutter jetzt nicht mehr an. Das Grausamste, was Ihrer Mutter passieren könnte, ist, dass sie in dem Auto auf dem Weg zum Hospiz stirbt. Lassen Sie es jetzt in Würde zu Ende gehen.« In Würde zu Ende gehen.

Würde? Mir kam die Galle hoch. Die war uns doch schon vor anderthalb Monaten abhandengekommen. Würde – was für ein Hohn nach all diesen würdelosen Wochen voller Qualen und Torturen.

Meine Exfrau Margit und ihr Mann Kalle hatten den Tag mit uns an Mutters Bett verbracht, wie schon so oft. Zwei wunderbare Menschen, die uns viel halfen und an jeder Ecke versuchten, das Leid für alle erträglicher zu machen. Dafür werde ich ihnen bis in alle Ewigkeit dankbar sein. Aber als die Nacht kam, passierte etwas Sonderbares mit mir. Ein unangenehmes Gefühl machte sich in mir breit. Die beiden störten mich plötzlich ungeheuer, ich konnte ihre Nähe mit einem Schlag nicht mehr ertragen. Ich sagte ihnen, dass sie bitte fahren sollten. Um ehrlich zu sein, ich habe die fast rausgeschmissen, so eindringlich habe ich die bedrängt, doch in Gottes Namen zu fahren. Die sollten weg, was mir aber gleichzeitig sehr unangenehm war. Als die zwei endlich fort waren, tat es mir leid. Ich kam mir schäbig und egoistisch vor. Aber ich konnte und wollte Mutters Tod nur mit Nada teilen. Und dann, gerade als Margit und Kalle vielleicht zehn Minuten weg waren und wir alleine am Bett saßen, schlief Mutter endlich für immer ein. Sie holte noch einmal Luft, lächelte zweimal und dann sahen wir, wie das Leben aus ihr wich. Wer das einmal erlebt hat, der weiß, wovon ich rede. Wenn das Leben erlischt, sieht man nicht mehr eine geliebte Person, sondern einen toten Körper.

Ich habe nicht sofort die Schwester gerufen, ich blieb einfach, mit meinen Gedanken und Erinnerungen, am Bett sitzen. Versuchte, Mutters Erlösung andächtig zu erleben. Ich weinte, betete und fluchte. Nada reagierte sehr heftig. Schrie auf und zitterte am ganzen Körper. Sie fühlte sich eiskalt und redete hysterisch auf mich ein, dass Mutters Geist gerade durch sie hindurchgehen würde! Ich beruhigte sie, legte sie aufs Bett und deckte sie zu. Später erklärte mir Nada das so: Ihr war urplötzlich unheimlich kalt geworden … und es hatte sich so angefühlt, als würde diese Kälte von einer Körperseite zur anderen wandern. Als ob Eis durch ihren Körper gegangen wäre. Und sie war ganz sicher, dass das praktisch Mutters befreite Seele war, die den leblosen Körper verlassen hatte. Ich glaube ihr das, habe aber bisher nie jemandem davon erzählt. Ich hatte Schiss, dass mich alle für bekloppt halten. Wie will man das auch erklären? Jeder ist auf seine Art bekloppt, wenn du mich fragst.

Als Nada wieder auf dem Damm war, schickte ich sie ins Hotel. Ich wollte einfach allein sein. Saß noch mal zwei Stunden am Totenbett.

Was für ein Wahnsinn. Ich werde das alles nicht vergessen, solange ich lebe. Traurig bin ich bis heute. Wundere mich immer noch über die Tatsache, dass ich an meinem ersten Urlaubstag 2014 von Mutters Befund erfuhr. Gestorben ist sie dann an meinem letzten Urlaubstag. Typisch Mutter! Ich vermisse sie so sehr.

6

Feiern und Schenken wollen gelernt sein

Während Mutters Zeit im Krankenhaus wohnte ich in Neuss im Hotel. Wie gesagt, in demselben Hotel, in dem Nada und ich unsere Hochzeit gefeiert hatten. Diese herrliche Hochzeit! Hier hatten wir einen der schönsten Momente überhaupt erlebt. Aber immer langsam mit der geschmolzenen Butter, meine Lieben.

Wir wollten natürlich nicht einfach so feiern. Wir wollten eine bombastische Hochzeit, eine Riesenparty mit allem, was das Herz begehrt. Weil wir nach all den Jahren harter Arbeit unheimlich Lust hatten, es mal so richtig krachen zu lassen. Die letzte gute Party hatten wir gefühlt im Mittelalter gefeiert und zwar noch vor der Erfindung des stapelbaren Butterfässchens. Also wollten wir definitiv mehr als die typische Hochzeit der Marke »Man lädt Onkel und Tanten ein, die Kinder und den Rest der buckligen Verwandtschaft« und haben gesagt: Wenn schon Hochzeit, dann eine, bei der wir richtig auf die Kacke hauen! Meine letzte Geburtstagsparty, an die ich mich erinnern konnte, war die Überraschungsparty zu meinem 30. Und wie das manchmal leider so ist bei Überraschungspartys: Es war nicht so dolle wie erhofft. Deswegen hatte ich mir ja zu Nadas 30. Geburtstag vorgenommen, es besser zu machen und eine Überraschungsparty organisiert, die so auch im Millowitsch-Theater hätte aufgeführt werden können.

Ich hatte ein schnuckeliges Hotel gemietet, Essen bestellt und vorher lang und breit mit den Kellnern ein richtiges Theaterstück eingeübt. Ich wollte Dramatik pur. Der Plan war einfach, aber für jede normale Frau eine Katastrophe. Die ich natürlich wundervoll mit einer Hammerüberraschung in einem Glückstaumel auflösen wollte. Ich schnappte mir also eine Woche vorher den Oberkellner und erteilte verschwörerisch meine Regieanweisungen: »Ich komme alleine mit meiner Frau. Ich möchte, dass das ganze Lokal leer ist. Alle Angestellten ziehen eine lange Fleppe und es muss auf jeden Fall irgendeine schreckliche Dudelmusik laufen.«

Nur hinten in der Ecke beim Gang zu den Toiletten sollte ein runder Tisch für Nada und mich eingedeckt sein. Und selbstverständlich hatte von dem Augenblick, als wir ankommen sollten, alles schiefzulaufen. Die üblichen Klassiker: dass wir die Speisekarte nicht kriegen, der Kellner was verschüttet etc. Auf der Speisekarte sollten nur Sachen stehen, die Nada nicht mag. Blutwurst, Leber, Eisbein und auf keinen Fall Salat mit Hühnerbrust – nur fettiges Anti-Frauenessen!

Kinders, den Geburtstag vergesse ich nie! Nada hatte überhaupt keine Lust rauszugehen, überhaupt keinen Bock auf Geburtstagfeiern. Ich hatte ihr gesagt, dass wir in Köln ins Kino gehen würden. Was machte die gute Nada? Die hat wirklich noch eine Stunde, bevor wir fahren mussten, das Badezimmer geputzt, weil sie einfach nicht wegwollte. Außerdem hatte sie Kopfschmerzen und überhaupt. Ich hab mich stur gestellt und ganz stumpf so getan, als ob der olle Kinobesuch das Wichtigste auf der Welt wäre: »Du, wir müssen dahin, ich hab die Karten und ich will den Film sehen! Ich fahre nicht alleine dahin, das kannst du mal schön vergessen.« Irgendwann hat sie sich dann murrend ein bisschen chic gemacht und sich von mir mit langem Gesicht nach Köln kutschieren lassen. Dann explodierte auf dem Weg meine nächste Eskalationsgranate. Beleidigt eröffnete ich ihr, dass ich jetzt auch keinen Bock mehr auf Kino hätte und stattdessen essen gehen wollte. Das kam überhaupt nicht gut bei ihr an. Und als wir dann in das Hotel reingingen, da wurde meine Nada richtig sauer. Herrlich! Das Theaterstück begann und lief perfekt: Der Kellner machte alles wie abgesprochen, der schmiss Blumen um, der brachte das falsche Essen, irgendwann deckte der nochmal für zwei Personen zusätzlich an unserem Tisch ein, wollte uns sogar umsetzen, weil Stammgäste angerufen hätten, die denselben Tisch haben wollten. Das kroatische Temperament meiner Frau kam mehr als nur in Wallung. Die musste sich so beherrschen, nicht auszuflippen, dass ich Angst um ihr Herz hatte. Zwischenzeitlich dachte ich, die würde vor Ärger ihre Lippen durchbeißen. Ein Träumchen für meinen Plan. Denn was Nada natürlich nicht wusste: Ich hatte mithilfe einer ihrer Freundinnen die ganze kroatische Familie eingeladen. Und die sollten nach und nach in das Restaurant kommen, möglichst unauffällig. Das Beste: Nada hat das am Anfang auch tatsächlich gar nicht mitbekommen. Weil sie natürlich so auf ihren Ärger fokussiert war angesichts der Unverschämtheiten des Kellners. Sie hat die Leute zwar gesehen, aber nicht erkannt! Bis der Knoten platzte und alle sich schreiend, lachend und mit Tränen in den Augen in den Armen lagen. Da war das ganze Lokal aber schon voll mit Familie und Freunden. Die bestellte Band spielte herrliche Musik und wir haben bis in den frühen Morgen getanzt, gelacht und gefeiert. Eine wunderschöne, unvergessliche Party. Aber leider auch schon so weit weg und deswegen sollte unsere Hochzeit noch eins draufsetzen.

Was uns ganz wichtig war: Wir wollten nur Menschen einladen, die wir wirklich mochten. Es wurden alle aufgeschrieben, mit denen wir feiern wollten. Familie, Freunde, Kollegen und gute Typen, die Spaß am Leben haben. Da sollte man nicht päpstlicher als der Papst sein. Man denkt ja trotz der dritten Hochzeit, dass das aber nun endgültig die letzte ist, und dementsprechend hemmungslos sollte gefeiert werden. Wir wollten uns und der ganzen Bagage eine absolut unvergessliche Party schenken. Was soll ich sagen? Relativ schnell waren auf unserer Liste 500 Leute! Und wir waren wirklich erschrocken, wie viele gute Typen wir kannten. In unseren Augen waren wir dabei sogar noch wählerisch. So ist das eben, wenn man sensationell gut feiern will. Da kommt man mit Bescheidenheit schnell ans Limit. Aber unser Motto war nun mal – wie kann es bei mir anders sein – »Aber bitte mit Sahne« und so landeten auf einmal 500 Mann in der Verzierungsspritztüte. Nachdem wir in der Angelegenheit den Nagel versenkt hatten, wurde es natürlich noch komplizierter. Leicht ratlos fragte mich meine Süße: »Sag mal, wo feiert man denn mit 500 Mann?«

Nach langen Überlegungen kamen wir auf das Hotel »Fire & Ice«. Das war ganz in der Nähe, hatte mehrere Restaurants, Partyräumlichkeiten – und eine Skihalle! Natürlich habe ich im ersten Moment gedacht: »Mensch Hotte, 'ne Skihalle, du kannst doch nicht die ganze Skihalle mieten!« Aber wie das nun mal so ist mit den berühmten Flausen im Kopf: Wenn die erst mal im Kopf sind, dann gehen die da auch so schnell nicht wieder raus. Schon gar nicht bei mir. Und dann habe ich nachgedacht. Warum nicht alles mieten und so vielseitig wie möglich feiern? Warum nicht mit leicht angeschickertem Schädel nach einer durchtanzten Stunde wieder beim Rodeln auf der Piste einen kühlen Kopf bekommen – und das alles mitten im Sommer 2009? Oder nach ein paar heißen Schussfahrten mit einem heißen Schuss in der Disco weitertanzen, um es mal salopp zu formulieren? Natürlich würde das sündhaft teuer, aber war das wirklich ein Grund, es nicht zu tun? Zum ersten Mal im Leben hatte ich richtig Erfolg. Ich hatte das erste Mal im Leben keine Schulden mehr, war dem Tod zweimal von der Schippe gesprungen und wollte die tollste Frau der Welt heiraten. Warum also nicht mal richtig durchdrehen und die komplette Bude mieten, wenn es doch geht? Wie sagte der Julius Caesar schon: Maggi alea iacta est – die Brühwürfel sind gefallen. Ich habe mich mit den Verantwortlichen hingesetzt. Mit den Köchen gesprochen: »Kinders, ich lade auch andere Köche ein. Berühmte Köche, da muss dann auch was kommen. Ich hab' ja auch 'nen Ruf zu verlieren. Also, wenn das hier nicht schmeckt, Freunde der geklöppelten Kochmütze, dann könnt ihr echt gucken, welchen Job ihr nach dieser Party noch macht. Für euch Köche wird das echt schwierig werden. Ich will natürlich keinen Druck aufbauen, aber ich bitte euch um meiner und eurer Ehre … gebt alles, macht sie alle sprachlos!«

Die Feier wurde dann auch genau so, wie wir es uns in unseren kühnsten Träumen erhofft hatten. Wie schön das war: Die Freude, die Leute, diese 500 Menschen, die einfach nur mit uns feiern wollten, die Gas gegeben haben ohne Ende … diese wahnsinnig schöne Party, das tolle Essen, die tolle Musik, überall war was los und wurde gelacht. Und dann, als wir eigentlich schon glücklich und zufrieden nach Hause gehen wollten, passierte dieser magische Moment. Dieser unendlich romantische Moment. Kinders, ganz ehrlich, das war wirklich der unglaublich romantischste Moment in meinem Leben. Überall wurde schon aufgeräumt, die Deckenbeleuchtung ging an. Geschirrgeklapper. Überall wurde geschuftet, um den Laden für den Morgen wieder fit zu machen. Wir wollten gerade todmüde, aber überglücklich gehen, da erklang diese wundervolle Musik. Ich schnappte mir meine Süße und wir fingen innig umschlungen an zu tanzen. Nur Nada und ich. Morgens um fünf Uhr, völlig ineinander versunken, die Welt um uns herum ausgeblendet. Es gab nur uns, unsere aneinandergeschmiegten Körper und diese herrliche Musik. Es waren Minuten wie im Traum. Minuten, in denen wir uns so nah waren wie noch nie, alleine, wie das schöne Brautpaar in einer dieser wunderbar kitschigen Schneekugeln. Und als ich nach ein paar Minuten kurz die Augen aufmachte, glaubte ich erst recht, dass ich träumte. Diese Menschen, die nach hart durchmalochter Nacht eigentlich mit dem Aufräumen beschäftigt waren, hatten das Licht wieder gelöscht, einen Kreis um uns gebildet und tanzten mit uns mit. Das war so wunderschön, das werde ich nie vergessen.

Dann sind wir mit einem VW-Bus voller Geschenke nach Hause gefahren. Wir waren gar nicht scharf auf Geschenke, also hatte dann in der Einladung auch gestanden: »Wir möchten keine Geschenke, wir sind uns Geschenk genug. Aber wenn ihr uns was schenken möchtet, ihr wisst alle, was Männer mögen und was Frauen lieben.« Zu Hause angekommen, setzten wir uns schön mit einer heißen Tasse Kaffee auf den Balkon, lasen Glückwunschkarten und packten Geschenke aus. Das war lustig. Entweder waren wir zu Tränen gerührt, was sich die Leute Schönes ausgedacht hatten, oder wir waren schockiert über den geschmacklosen Tinnef, den einige verzapft hatten. Worüber wir dann letztendlich noch mehr gelacht haben. Wir hatten uns ja streng genommen nichts Konkretes gewünscht. Von daher war alles fein. Wir hatten doch eh schon alles, uns ging es doch so gut, wir hingen ja sowieso mit dem Hintern in der Butter. Nur – wenn man was schenkt, dann sollte man auch eventuell ganz kurz an die Beschenkten denken. Bevor ich einen Tittenkaffeebecher verschenke, eine Penisbackform oder eine lebendige Kuh ... Also dann ist mir schon fast die Flasche Kellergeister Spumante lieber, damit kann man sich wenigstens lecker einen schnasseln. Was die Kuh angeht, die war ein Geschenk von Johann Lafer – das arme Schwein. Also, nicht Johann, sondern die Kuh. Weil so ein großes, lebendiges Tier als Witz zu verschenken, nur weil ich ja so gerne mit Butter und Sahne koche ... das hat sich mir einfach nicht so recht erschlossen. Also habe ich dem armen, unschuldigen Vieh ein glückliches, artgerechtes Zuhause besorgt. Letztendlich habe ich es bei einem guten Bauern untergebracht, den ich allerdings mit Geld davon überzeugen musste, dem Tier dieses glückliche, artgerechte Zuhause zu geben. Bei mir im Garten jedenfalls hätte die Kuh es nicht so gut gehabt.

Johann hat eben so seine ganz eigenen Ideen beim Schenken. Wir hatten fünfjähriges Jubiläum von »Lafer!Lichter!Lecker!« und die Redaktion machte den logischen Vorschlag: »Mensch, es wäre doch super, wenn ihr euch zum Jubiläum mal überlegt, was ihr dem anderen schenken könntet.«

Warum nicht, na klar! Ich zermarterte mir tagelang die Murmel. Was könnte ich Johann schenken? Worüber würde der Gourmetbrutzler sich lange freuen? Ich wollte ihm etwas von mir schenken, das mir wirklich viel bedeutete. Damit er sieht, dass er mir auch viel bedeutet. Und dann habe ich überlegt, etwas zu schenken, wo ich echt sehr dran hing, wirklich sehr. Und zwar meinen ersten Küchenherd, komplett restauriert, auf Rollen. Meinen Bühnenherd. Überhaupt den ersten Herd, mit dem ich im Theater auf der Bühne stand und immer wieder rumgefahren bin. Diesen wunderschönen, echt gekachelten Ofen von 1870! Ein Prachtexemplar von einem Küchenherd. Das sollte mein Geschenk an Johann werden.

Er war als Erster dran, gleich zu Beginn der Sendung sollte er mir sein Geschenk überreichen, in Zellophan verpackt. Als Erstes kam eine Tasse mit aufgedrucktem Bart zum Vorschein, das zweite Geschenk war ein Mieder. Das Publikum kreischte und Johann konnte kaum an sich halten. Ich wünschte, ich hätte dasselbe behaupten können. Selbst im Nachhinein stellt sich keine echte Begeisterung ein. Das dritte Geschenk war ein Kochkurs »Das Geheimnis der erotischen Küche« … Vielleicht hatte Johann den ja mal geschenkt bekommen und konnte damit nichts anfangen? Egal, Schwamm drüber. Da sieht man mal wieder: So unterschiedlich können also Erwartungen sein. Aber seit dieser Sendung mache ich mir echt Sorgen, was Johanns Frau wohl von ihm zu Weihnachten oder zum Hochzeitstag bekommt.

Apropos Hochzeitstag. Wir sind nach unserer Hochzeit noch oft in »unser Hotel« zurückgekehrt. Unser wunderbares

Hochzeitshotel. Immer mit den Gedanken im Kopf an diese wundervollen Momente. In den ganzen Wochen, die ich vor Mutters Tod in diesem Hotel verbracht hatte, trugen mich diese schönen Erinnerungen wie Flügel über die kalten Felder der Vergänglichkeit und des Todes. Ich erinnerte mich in dieser Zeit an die schweren und lustigen Geschichten meines Lebens. Und ich schrieb sie für dieses Buch auf.

7

Viele Köche versenden den Brei

Fernsehen ist keine Realität. Ich mache Unterhaltungssendungen, ich will Menschen unterhalten. Die sollen nach der Arbeit oder zwischen Haushalt, Kindern und Alltag ein bisschen Luft schnappen. Auf andere Gedanken kommen. Am Anfang war es für mich, den komischen Typen mit den karierten Hosen aus Rommerskirchen, unglaublich anstrengend in dieser Fernsehwelt. Ich kannte ja nur meine Realität. Ich stand Tag für Tag schwitzend an meinem Kohleofen und wirbelte durch mein Restaurant wie eine stark erhitzte Butterelfe. Wer bei mir einen Tisch reservieren wollte, der brauchte vor allem Zeit. Ein Jahr Wartezeit kann einer Eintagsfliege egal sein, aber wessen Horizont über einen Tag hinausging, wurde auf eine harte Geduldsprobe gestellt. Ich liebte meine harte Arbeit und Fernsehköche waren für mich große Stars, die nur außerhalb meines Planeten existierten.

Umso überraschter war ich, als ich eines Tages die erste Einladung zu »Johannes B. Kerner« bekam. Natürlich zur Freitagssendung, in der nicht getalkt, sondern gekocht wurde. Ich konnte es nicht glauben. Ich, der einfache Koch, sollte die Helden des Herdes auf ihrem Planeten besuchen: Tim Mälzer, Johann Lafer, Dieter Müller, Kolja Kleeberg. Müller hatte drei Sterne, der war für mich ein Gott im Kocholymp. Diese Köche kamen in blütenweißer Jacke mit gesticktem Wappen und ich sah mit meinen karierten Hosen und schwarz-weißen Gamaschen-Lederschuhen aus wie ein spleeniger Engländer. Ein schöner Kontrast. Und dabei war ich der festen Überzeugung, dass ich richtig klasse aussah. Das ganze Outfit war ja keine Masche von mir. Ich habe mich immer geärgert, wenn Journalisten mir das unterstellten. Die sahen mich und dann stand ihr Urteil fest: »Ah, das hat er aber raffiniert gemacht, der schlaue kleine Penner. Geht da hin, lässt sich eine runde Brille machen mit seinem Eierkopf, rasiert sich die Haare ab, hat einen Riesenschnurrbart und trägt karierte Hosen. Der will ja nur auffallen!« Von wegen – ich fand mich spitze. Dass ich schon seit Jahren so rumlief, war denen natürlich nicht klar. Dass ich die olle Nickelbrille brauche, weil ich sonst nichts sehen kann und mir jede andere Brille einfach nicht steht. Den Schnurrbart habe ich, seit ich 19 bin, weil ich im Bodybuilding aussehen wollte wie die Jahrmarkts-Gewichtheber. Wie der »starke August«. Das glauben mir viele Schreiber heute noch nicht. Müssen sie auch nicht. Mittlerweile ist es mir egal. Ich könnte leichter gegen Windmühlen anpusten.

Meinen neuen Kollegen schien mein Outfit nichts auszumachen. Dachte ich! Da war mir aber auch noch nicht klar, dass ich für die erst mal gar kein Kollege war. Vielleicht dachten sie sogar, dass der lustige Vogel sowieso nur einmal vorbeiflattern wird. Auch hinter den Kulissen von »Johannes B. Kerner« – in den Medien gerne »Kerner kocht« genannt – waren sie bei meinem ersten Besuch wahnsinnig nett zu mir. Es beschäftigte sich zwar keiner so richtig mit mir, aber wenn, dann höflich und lieb. Wie man es sich vorstellt, eigentlich. Wenn die Rolling Stones Besuch bekommen von irgendeinem kleidungsauffälligen Lokalsänger, dann interessiert das den guten Mick Jagger auch so viel wie King Kong 'ne glutenfreie Ernährung.

Ich fuhr total begeistert nach der Sendung heim und berichtete meiner Süßen staunend: »Boah, die sind alle wahnsinnig lieb. Gott, sind die nett! Der Lafer hat sogar mit mir geredet!« Mein Schatz sah das etwas nüchterner, vielleicht weil Frauen ein ganz anderes Feingefühl fürs Authentische und überhaupt das Zwischenmenschliche haben: »Pass trotzdem auf, die sind vielleicht nur so lange nett, wie du denen nicht in die Quere kommst.« Da ich aber immer Optimist bin und an das Gute im Menschen glaube, blieb ich felsenfest bei meiner Meinung: »Doch, die sind superlieb. Du wirst sie ja kennenlernen! Dann wirst du sehen, wie lieb die so sind.« Heute weiß ich, dass wir beide recht hatten. Natürlich hatten wir viel Spaß in unzähligen Sendungen von »Kerner kocht« und später auch »Lanz kocht!«. Aber jeder von uns hat auch darauf geachtet, dass er selber gut dasteht. Wer der Nation was vorkocht, der will dafür auch gelobt werden und seine »Marke« als Spitzenkoch etablieren. Auf Letzteres musste ich jetzt nicht unbedingt achten, mein Laden war ja immer rappelvoll zu dieser Zeit, und dass meine Fähigkeiten am

Herd nicht mit denen eines Müller, Lafer oder Schuhbeck mithalten konnten, war mir auch klar.

Und es blieb nicht bei einer Einladung. Ich tauchte immer regelmäßiger bei »Kerner kocht« auf. Die Produzenten begriffen schnell, dass ein lustiger Typ mit dem Herz auf der Zunge die perfekte Ergänzung ist für die gestärkten Weißjacken-artisten, die in Sachen Humor nicht ganz so geübt waren wie im Filetieren. Bis auf Tim Mälzer, der sowieso auf Kochjacken und Topfetikette keine Lust hatte, dafür aber mit einem schönen Mutterwitz gesegnet ist. Tim schloss ich von Anfang an in mein Herz. Der war geradeaus und ehrlich zu mir. Und er interessierte sich für mich: Ich hatte ja allen Köchen immer von meinem kuriosen Laden erzählt, auf den ich so stolz war. Meine »Oldiethek«. Die ich so liebte, weil sie ja auch mein Leben war. Deswegen habe ich natürlich auch immer alle Kollegen eingeladen, immer und immer wieder angesprochen und gesagt: »Kommt doch mal vorbei. Guck dir mal meinem Laden an, dann werdet ihr mich auch besser verstehen. Denn den Laden, den kann man nicht erklären, den muss man gesehen haben. Ich koch auch für dich.« Der Einzige, der sich dann wirklich einmal auf den Weg gemacht hat, war Tim Mälzer. Der hat sich einfach in den Flieger gesetzt und ist vorbeigekommen. Das hat mich damals echt umgehauen, weil so ein Flug ja ein Vermögen kostete. Und dann musste der gute Tim auch noch eine Hotelübernachtung bezahlen. Das alles kostete 'ne Menge Kohle, richtig viel Geld. Und ich war ihm das offensichtlich wert. Tim Mälzer, da bin ich dir noch heute dankbar für!

Aber das Schönste war, dass ich von Tims Aktion überhaupt nichts wusste. Kennt man ja: Einer sagt immer »komm doch mal vorbei« und der andere sagt immer »jau, mache ich die Tage mal«. Eine konkrete Verabredung ist was anderes. Und so stand ich eines Tages mal wieder in der Bullenhitze meines guten, alten Kohleherds und brutzelte ein paar »Unter 450 Gramm ist alles Carpaccio«-Filets für meine Gäste, als ein Gast aufgeregt auf mich zugelaufen kam und sich beinahe am letzten Bissen Fleisch verschluckte: »Herr Lichter, Herr Lichter, Sie glauben nicht, wer vorne durch den Laden läuft! Tim Mälzer! Tim Mälzer ist da!« Mir fiel fast der Kitt aus der Brille. Wenn der Typ gesagt hätte, dass 'n Rudel Gurken durch die Vordertür flüchten will, wäre ich nicht überraschter gewesen. Das Schlimme war nur: Ich konnte nicht weg vom Herd. Ich sagte: »Ne.« So, ich konnte auch nicht weg vom Herd, weil die Filets nur noch zum Pflastern der Hofeinfahrt gut gewesen wären. Also sagte ich zu meiner Süßen: »Schatz, geh mal bitte schnell gucken … und wenn er es wirklich ist, dann halt ihn irgendwie fest!« Weil ich ja immer noch dachte, dass der vielleicht ohne Erklärungen direkt wieder aus meiner verrückten Bude rausläuft. Ist er aber nicht. Nada kam zurück und meinte nur: »Ja, ja, der ist da. Der guckt sich bestens gelaunt um.« Und so war es auch. Tim stöberte in aller Gemütsruhe durch die »Oldiethek«, begutachtete alles interessiert und war nicht aus der Ruhe zu bringen. Es dauerte bestimmt eine Stunde, bis er endlich in den eigentlichen Gastraum kam. Ich litt Höllenqualen am Herd. Da kam endlich mal einer von den großen berühmten Jungs und ich war wegen meiner One-Man-Show am Herd nicht in der Lage, ihm Gewürznelken vor die Mauken zu streuen, ihn gebührend zu empfangen. Aber selbst wenn die Königin von England mich überraschend besucht hätte – meine Gäste, die praktisch seit einem Jahr auf ihr Essen warteten, gingen vor. Basta.

Irgendwann, eine gefühlte Ewigkeit später, stand Tim endlich neben mir am Kohleofen, guckte mich kopfschüttelnd an und sagte: »Alter, Scheiße. Du hast den Laden, von dem ich seit meiner Kindheit träume. Wahnsinn, ist das krank! Aber in deiner Kindheit muss echt was schiefgelaufen sein: Wieso malochst du so viel? Du kannst dir das doch so viel leichter machen. Tu mir einen Gefallen, ich setze mich jetzt hier neben den Ofen; sprich mich bitte nicht an! Ich muss mir das jetzt einfach angucken. Ich muss das jetzt verarbeiten.« Dann setzte er sich an einen kleinen Zweimanntisch mit Blick auf den Ofen und sah mir geschlagene zwei Stunden mit schon fast religiöser Inbrunst beim Kochen zu. Tim sog alles auf: Was ich mit den Gästen für Dönekes machte, wie ich mit denen umging, wie ich die Speisekarte am Tisch runtererzählte und wie ich am Kohleofen schwitzte. Wie ich da malochte wie ein Ochse, bis ich schwarz und dreckig war. Als sich der Laden leerte, habe ich endlich lecker für ihn gekocht, und wir haben noch ewig lange zusammengesessen. Er konnte es einfach nicht fassen, wie ich mich da jeden Abend für meine Vorstellung von einem Restaurant langmachte: »Alter, ganz ehrlich, das ist so geil, was du hier machst! Das könnte ich mir nicht vorstellen. Respekt, Horst, Respekt!«

Das werde ich nie vergessen. Es war für mich einer der schönsten Abende, die ich mit einem Kollegen erlebt habe. Der beste Beweis, dass man mit Konkurrenten ein gutes Verhältnis haben kann. Schließlich ist in Deutschland genug Platz für uns alle.

Natürlich war ich immer total neugierig, was die anderen Herrscher des Ceranfelds zu bieten hatten. Und weil ich schon immer der Meinung war »Probieren geht Hand in Hand mit Studieren«, habe ich die meisten meiner großen Kollegen in ihren Restaurants besucht. Ob Lafer, Schuhbeck, Kleeberg, Henssler … immer war ich völlig begeistert, habe fantastisch gegessen und viel gelernt. Die Jungs konnten nicht nur im Fernsehen gut kochen. Aber das war ja auch die Realität.

Im Fernsehen gab es natürlich eine ganz eigene Wirklichkeit: die des Showbusiness. Abgesehen davon, dass ich als Koch – um es mal milde zu sagen – eher in die zweite Bundesliga einsortiert wurde, stellte ich ab und zu erstaunt fest, dass einige mich das auch spüren ließen. Der Kollege Rainer Sass, der mir immer, wie ich fand, pseudofreundlich auf den Kopf klopfte. Was er damit aussagen wollte, weiß ich nicht. Aber welchem erwachsenen Menschen klopft man noch wie einem Kind auf den Kopf? Vielleicht einem Butterclown, der sich bei den richtigen Köchen verirrt hat. Dass der Butterclown Horst Lichter aus dem Rheinland ist, hätte ich ihm auch ohne Kopftätscheleien sofort bestätigt. Irgendwann Anfang des Jahres 2006 muss er sich so müdegetätschelt haben, dass er erst 2009 wieder bei »Lanz kocht!« auftauchen konnte. Johann Lafer, ein Zeremonienmeister erster Güte, konnte ich trotz aller Versuche mit meiner leckeren, robusten Kochkunst verständlicherweise nur schwer begeistern. Selbst wenn ich frische Petersilie für mein Gericht gepflückt hatte, meinte ich, eine leicht tadelnde, bekümmerte Miene zu sehen, wenn er bemerkte, dass ich – »Natürlich! Typisch Horst!« – die Petersilie falsch gepflückt hätte. Sozusagen gegen den Uhrzeigersinn. Was aber auch schon wieder lustig war.

Klar, mit voller Buxe ist gut stinken, und wenn die Koryphäen Lafer, Schuhbeck oder Kleeberg bei Kerner gekocht haben, dann war das zu 99 Prozent auch wirklich richtig amtlich und saulecker. Auf sehr hohem Niveau. Die können ja was am Herd, keine Frage. Aber manchmal waren Alfons oder

Johann gegenüber den »Schwächeren« etwas zu sehr im Auftrag ihrer Mayonnaise unterwegs. Ich stand ja schon immer auf dem Standpunkt: »Kraft erzieht zur Toleranz.« Muss sich ein Porsche mit einem einfachen Golf duellieren? Natürlich nicht! Besonders lustig war es immer, wenn sich die Hexenmeister vorher selber etwas angezickt hatten. Dann mussten die Platzhirsche erst mal etwas Dampf ablassen. Dann wusste ich schon vorher, dass die mit besonders spitzer Zunge probierten. Und wir, die anderen Köche, bekamen schon mal etwas ausführlicher den Kopf gewaschen, wenn uns etwas nicht hundertprozentig geglückt war. Was natürlich auch was Gutes hatte. Dann haben wir uns beim nächsten Mal umso mehr ins Zeug gelegt und großes Lob bekommen. Wobei es mir doch so vorkam, als ob Andreas C. Studer, der »Studi«, schon sehr oft von Alfons eins »aufs Kapperl« bekam. Ich vermutete irgendwann, dass Alfons »Studis« rote Kappe nicht mochte. Nun ja, die Geschmäcker sind halt verschieden. Meiner Meinung nach soll sich jeder so kleiden, wie es ihm gefällt, und als moppeliger Herr mit blond gefärbten Resthaaren kann man schon mal großzügig über eine rote Kappe hinweggucken. Vor allem, wenn man so ein sympathisches Schlitzohr und großartiger Spitzenkoch wie Alfons Schuhbeck ist. Ich habe Alfons nie etwas übel nehmen können, der ist eben manchmal ein Grantler. Ein »Spezi« vor dem Herrn.

Nicht, dass wir uns falsch verstehen! Kritik ist berechtigt und ich habe immer Wert darauf gelegt, dass meine Meckereien auch charmant rüberkamen. Ich habe dann oft gesagt, dass »das Essen fachlich klasse ist, aber nicht so mein Ding«. Weil ich eher so 'n robuster Hausmannskost-Typ wäre, der die deftige Küche bevorzugt und nicht so einen feinen Gourmet-Gaumen hätte.

Alfons und Johann waren eben die ungekrönten Topftitanen. Und die Einzigen, die sich nicht jede Kritik gefallen ließen und schon mal rotzfrech zurückschossen, waren die jungen Wilden wie Tim Mälzer und Steffen Henssler, die genug Selbstvertrauen und Chuzpe hatten, den Gurus Schuhbeck und Lafer auch mal einen zwischen die Hörner zu kloppen. Das war aber alles immer im Rahmen der fairen Konkurrenz und geriet nur einmal zum Eklat.

Steffen Henssler, ein toller Koch mit ordentlich Dampf und Testosteron unter der Haube, haute einmal so feste auf den Tisch, dass es schepperte. Die Kollegin Sarah Wiener hatte sich in einer Sendung mal »verkocht« und das Ergebnis war nicht gerade lecker. Kann passieren, am besten tritt man dann ehrlich die Flucht nach vorne an. Aber Frau Wiener hatte Steffens Meinung nach eine ganz andere Masche entwickelt: erst mal die Kollegen bekritteln. In dieser denkwürdigen Sendung probierte Sarah Wiener jedenfalls ein Gericht von Alfons und mäkelte daran herum. Was ich gewagt fand, denn Alfons hat ja nicht gerade bei »Inges Schnitzelbude« an der Fritteuse seine Ausbildung gemacht. Der kann richtig was am Herd. Außerdem stand sie mit ihrer Kritik auch noch alleine auf weiter Flur. Und wie sie also – sagen wir mal, etwas überzogen – an Alfons Essen rummäkelte, platzte Steffen Henssler der Kragen und er rastete aus. Dass Frau Wiener keine Ahnung von Gastronomie und schon gar nicht vom Kochen hätte, war noch das sachlichste Argument. Die haben rumgeschrien, wir hätten die Sendung fast abbrechen müssen! Sarah weinte, wollte abreisen und nie wieder kommen. Steffen sollte sich bei ihr entschuldigen. Wollte er aber nicht. Ich hielt mich schön raus. Aber ich habe auch nie einen richtigen Draht zu Sarah Wiener gefunden. Und bin später mal schwer mit ihr aneinandergekachelt. Ich meine, dass ich mich mit meiner schnellen Lästerschnauze ihr gegenüber sogar im Ton vergriffen habe. Nicht schön, nichts, worauf ich stolz bin. Ja, man muss auch die eigenen Arschlochnummern auspacken und auf den Tisch legen. Wenn ich schon mal bei mir aufräume, dann richtig.

8

Es ist nicht **alles** gut, was **schmeckt**

Bei »Kerner kocht« tauchte mal ein richtig internationaler Superstar auf, als ich mit von der Partie war. Ich werde nie vergessen, wie der Kochsuperstar Jamie Oliver zu Besuch kam, um sein neues Buch zu promoten. Der junge König, der Hipste unter den Kochstars, machte uns seine Aufwartung. Da war selbst so ein Alpharüde wie Alfons Schuhbeck nicht mehr im Zentrum des Geschehens. Jamie Oliver! Tim kannte ihn, weil er wohl mal bei ihm gearbeitet hatte. Wir anderen kannten ihn halt nur aus dem Fernsehen. Und Jamie war heiß wie Frittenfett, der wollte richtig abliefern. Seine Glanznummer: frisch, frech, unkonventionell und easy going! Für die Sendung hatte er sich was ganz Tolles überlegt, wollte sich ganz bewusst von uns Fernsehköchen in den weißen Küchenjacken abgrenzen und seinen verrückten Stil durchziehen. Dazu benötigte er Sägemehl, eine alte Keksdose, Alufolie und Lachs. Alles ganz einfach. Und ganz im Ernst: Der Typ hatte eine Mörderausstrahlung, der hat die Sendung ganz lässig moderiert und zelebriert. Hat die alte Keksdose genommen, mit dem Messer Löcher reingedengelt, wo ich schon dachte, »oh je, das arme Messer«. Aber okay – das waren ja nicht seine Messer. Erzählte lustig, dass man den Lachs natürlich auch mit ganz tollem Räucherholz räuchern könnte. Logo, kein Problem, das Zeug gibt es ja teuer zu kaufen. Aber das wäre alles Schnickschnack, man könnte auch einfach Hamsterstreu nehmen, wenn das sowieso zu Hause rumsteht. Sprach's, streute das Sägemehl in die Keksdose, Alufolie drüber, und legte dann den guten Lachs drauf. Drückte den Deckel zu, stellte das Ganze auf die Herdplatte, machte die Herdplatte an und sagte dann furztrocken wie Löschpapier: »So, jetzt bin ich erst einmal fertig mit Kochen, das muss jetzt erst einmal räuchern.« Irgendwann war sein Keksdosen-Räucherlachs dann auch fertig. So, jetzt mussten alle probieren. Ich nahm ein Häppchen und war sehr irritiert. Mein erster Gedanke war natürlich: Komm, Hotte, das verstehst du nicht. Das ist nur was für den Superstargourmet-Gaumen, da hast du kleiner Butterbolzen keine Ahnung von. Denn der Lachs schmeckte für mich einfach nur nach verbranntem, billigem Holz. Ich fand, das war bitter und eklig. Mein zweiter Gedanke war dann: Vielleicht muss man das doch besser mit 'nem Hamster essen. Den ich natürlich nicht geäußert habe. Ich war stattdessen höflich und faselte was von »toll und Weltklasse«. Sollte Alfons doch dem englischen Räucherkoch eine Breitseite verpassen, ich wollte unseren Stargast jedenfalls nicht brüskieren. Aber alle Kollegen lobten die Chose, wenn auch nicht übermäßig. Ich hätte zu gerne gewusst, ob die das damals wirklich mochten oder ob die auch nur höflich waren.

Ich fragte mich, warum die Kollegen nicht auch bei meinen Gerichten öfter etwas höflicher waren. Nichts für ungut. Wie gesagt, wenn man etwas nicht so mag, dann kann man das nett oder sachlich verpacken. Wer keinen Käse mag, muss ein Käsegericht eben fachlich beurteilen und nicht sagen, »schmeckt eklig«. Was mich manchmal einfach verwunderte, war, dass mein Essen vor laufender Kamera ein bisschen bekrittelt, aber nach der Sendung mit wohligem Schmatzen von allen verputzt wurde. Statt der Bekrittelei hätte man ja auch sagen können: »Wie so oft etwas ungestüm zusammengebaut, aber sehr lecker!« Denn das war oft der Fall. Ich erinnere mich noch lebhaft an eine Gelegenheit, da hatte ich ein richtig lecker Dessert gemacht, was ich unheimlich toll fand … mit einer Amarula-Soße, schön eingekocht mit Creme, mit Palatschinken dabei … und alles kam am Ende noch in den Backofen. Abgesehen davon, dass das hübsch auf dem Teller aussah, war es auch noch wirklich ein »lecker Träumchen«. Und, Freunde, mal Hand auf den Herd: So ein Dessert ist noch nie berühmt geworden, weil es ein Diätessen ist. Da war natürlich ordentlich drin, wofür ich stehe: Butter, Zucker – und vor allem Butter. Amarula-Likör ist auch nichts für schissige Kalorienzähler. Das Zeug haut ordentlich rein. Lecker. Aber was passierte? Die Truppe war sich einig, alles frei nach dem Motto: Das könnte man aber so nicht mehr bringen, da wird man ja schon vom Zusehen dick, das dürfte man besser keiner Frau vorsetzen … die ganze, nett und diplomatisch verpackte Nörgelnummer. Ich war etwas zerknirscht, aber nicht beleidigt oder sauer. Komisch nur – nach der Sendung kamen sie alle zu mir. Da hieß es auf einmal: »Die war aber schon richtig lecker, deine Kalorienbombe.« Da war ich dann doch das einzige Mal richtig sauer: »Ja, Kinders, aber dann sagt es doch! Dann sagt doch, verdammt noch mal, wie lecker das war! Das kann man doch sagen, dass es zwar seltsam anmutet, aber richtig gut schmeckt. Ich hab da vorne ja kein Weight-Watchers-Schild stehen und ich koche auch nicht für die Brigitte-Diät!« Manchmal muss man über seine Vorurteile springen. Als ich das erste Mal leckeres Kartoffelpüree gemacht und zum Schluss 50 Gramm feinste Kalbsleberwurst untergehoben habe, hat sich natürlich auch gleich die Geschmackspolizei entrüstet zu Wort gemeldet: »Igittigitt! Leberwurst! Das kann man doch nicht essen!« Aber eine fette Gänseleberpastete von einer armen Gans futtern, die brutal gestopft wurde, das geht? Das wird andächtig auf ein Weißbrot geschmiert und weihevoll kommentiert. Oh Gottchen, ist das fein! Mag sein, alles schön und gut. Aber diese Leberwurst im Kartoffelpüree, die schmeckt auch fein. Da gehe ich nicht von runter. Das ist so lecker, das ist eine Granate. Auch wenn der Michelin-Restaurantführer das vielleicht nicht wahrhaben will oder erst gar nicht versteht. Ehrlich, ich habe diese Art Diskussion nie verstanden und auch nie geführt. Lecker ist lecker. Pasta, aus, fertig!

Oder es ist lecker, ging aber nur ein klitzekleines bisschen daneben. Wenn ich bei »Kerner kocht« oder »Lanz kocht!« mal etwas probiert hatte von den Stars und die hatten das wirklich »a bisserl« verschossen – was mal passieren kann, zum Beispiel an der Soße zu viel Essig –, dann habe ich gesagt: »Super, super geil, aber der Essig zieht dir ganz schön Falten aus dem Hintern.« Da konnte ich mir zwar hinterher was anhören, aber das habe ich dann auch geflissentlich ignoriert: gleiches Recht für alle.

Natürlich habe ich bei »Kerner kocht« nach einer Weile sehr bereitwillig diese Rolle gespielt, weil ich sie am besten spielen konnte. Der Lichter, der macht gute Stimmung, der ist witzig. Und wenn der mal was gut gekocht hat, dann war er das blinde Huhn, hatte einfach nur Glück. Ich stemmte mich nicht richtig dagegen, weil ich begriffen hatte, dass das Publikum mich mag und ich auch keine Chance hatte, auf allerhöchstem Niveau mitzukochen. Was ich auch nicht schlimm fand, denn lecker ist lecker. Egal, wer das zusammengeschraubt hat. Was ein Johann Lafer kochen kann, das kann ich nicht. Was ein Alfons Schuhbeck kochen kann, das kann ich nicht. Ein Alexander Herrmann, ein Steffen Henssler, die haben den Beruf Koch ganz anders gelernt, die haben einen ganz anderen Ausbildungsweg hinter sich. Das ist eine ganz andere Welt. Die sind wirkliche Künstler am Herd. Vielleicht war ich oft auch einfach nur zu ehrlich. Wenn ich über ein tolles Gericht von Alexander Herrmann sagte: »Das kann ich nicht!«, war das nie »fishing for compliments«. Es stimmte einfach. Ich hatte mir – mehr oder minder, weil es auch nicht anders ging – eine andere Strategie ausgedacht. Je länger ich bei »Kerner kocht« und »Lanz kocht!« dabei war, desto mehr kokettierte ich mit meinen Gerichten. Ich sagte dann meistens etwas wie: »Ich weiß nicht, was das für ein Rindvieh war, aber das schmeckt so was von lecker!« Oder klopfte Sprüche, um mich ja nicht zu groß zu machen: »Ich weiß gar nicht, wie mir das passieren konnte. Was hab ich denn da reingetan?«

Und ehrlich: Ich kenn nicht immer die französischen Wörter, aber ich weiß, wie es aussehen muss. Und eins weiß ich ganz genau – ich kann verdammt »lecker« kochen. Ein verrücktes, lustiges, kurioses Restaurant, in dem der Koch für viel Geld nur tolle Geschichten erzählt … das reicht wohl kaum aus, um es über zehn Jahre dauerhaft im Voraus auszuverkaufen. Quatsch mit Soße! Da muss schon auch noch was am Gaumen passieren. Mein Essen hat den Leuten vorzüglich geschmeckt, sonst wäre so ein Erfolg überhaupt nicht möglich gewesen.

Und ich verstehe nicht, was so schwierig daran ist, das zu akzeptieren, selbst wenn man Sternekoch ist. Oder ein Journalist. Noch heute schreiben Journalisten gerne: Kann Horst Lichter überhaupt kochen?

Hauptsache für alle Teilnehmer von »Kerner kocht« und »Lanz kocht!« war: wiederkommen. Es ging um Reputation, um Ansehen, um Popularität. Der Produzent, Markus Heidemanns, hat mal in einem Interview mit der Illustrierten »stern« ganz richtig gesagt, dass diese Sendungen den Köchen unheimlich geholfen hat, ihre Marke zu stärken. Dem ist nichts hinzuzufügen. Das waren die wichtigsten Sendungen für alle TV-Köche. Mit steigender Berühmtheit wurden ihre Restaurants immer noch voller, trudelten Werbeverträge ins Haus und damit auch richtig Geld.

9

Töpfe kommen, Töpfe gehen!

Als Johannes B. Kerner die Sendung moderierte, waren die Spielregeln noch relativ hart. Wir Köche hatten eine vorgegebene Zeit und die musste eingehalten werden: Vorspeise in 15 Minuten. Also musstest du in 15 Minuten fertig sein, Erleichterungen à la »ich habe hier schon mal was vorbereitet« waren definitiv nicht erlaubt. Der erste Hauptgang sollte zum Beispiel dann nach 20 oder 25 Minuten probiert werden, ein Zwischengericht nach 40 Minuten und der zweite Hauptgang nach 50 Minuten, bis zum Schluss der Sendung das Dessert gereicht wurde. Es war so streng, hätte man vorher auch nur eine Zwiebel geschält, wäre man praktisch aus dem Studio rausgeschmissen worden. Als Markus Lanz das Format übernahm, änderte sich das, so wie vieles. Was ja auch logisch ist: anderer Moderator, anderer Stil. Eines blieb für die Köche: Wir durften unsere Rezepte abgeben, dann hat die

Einkäuferin der Produktion mit ihrem Team alles besorgt und vorbereitet für uns hingelegt. Man kontrollierte dann einmal, ob alles am Start war: Messer, Besteck und Töpfe. So lief das für uns. Gleiche Regeln für alle. Und dann kam Alfons, das große Schlitzohr.

Eines Tages brachte Alfons einen Koch aus seinem Restaurant mit. Und Riesenkisten, deren Inhalt keiner sehen konnte. Der Koch hat dann Alfons' Arbeitsplatz eingerichtet. Wir konnten uns das alles nicht so recht erklären. Aber Alfons war ganz entspannt und grinste locker. Die Sendung begann wie immer, alle wurden begrüßt und vorgestellt. Markus kam irgendwann bei Alfons an und sagte, dass der einen Gewürzkrustenbraten machen würde – und da lag dann auch schon ein dampfender Braten: »Wo kommt denn der jetzt her, Alfons?«, fragte Markus. Und ohne mit der Wimper zu zucken antwortete unser lieber Alfons: »Aus dem Ofen.« Da stand ich wie vom Blitz getroffen daneben und dachte, ich höre nicht recht. Dieser verrückte Teufelskerl, was führt der denn jetzt wieder im Schilde? Dieser Schlawiner! Da auf dem Teller lag ein sensationeller Braten vom Schweinebauch, der eigentlich zwei Stunden schmoren muss … und die Soße dazu muss ewig eingekocht werden. Alfons hatte ein Wunder vollbracht! Es war eindeutig die Hand Gottes im Spiel. Natürlich nicht – ich machte mir einen Spaß daraus und rief: »Dat is ja das Geile, was in dieser Sendung alles machbar ist … und ich mach' nur Hähnchenbrust.«

Wir anderen Köche wussten natürlich spätestens jetzt, was in den Riesenkisten gewesen war, und grinsten uns einen ab über das bajuwarische Schmunzelmonster. Der gute Alfons hatte alles fertig und schweinelecker in Töpfen mitgebracht, unter seinem Herdplatz verstaut und dann einfach im günstigen Augenblick herausgeholt. Halbgar und superlecker gegen fertig und superlecker. So ein Teufelsbraten!

Deswegen liebe ich Alfons so. Diese Schlitzohrigkeit gepaart mit Fachwissen und großer Kochkunst ... den muss man einfach mögen, den Schuhbeck. Natürlich blieb das »Töpflein wechsel dich«-Spiel nicht lange ohne Folgen. Einige Kollegen konterten sofort. Schwere Geschütze wurden aufgefahren. Umgehend brachte Johann seine Chefköche mit zur Sendung. Alexander Herrmann reiste auf einmal auch mit eigenem Koch an. Ali Güngörmüs brachte vorsichtshalber gleich alles aus dem Restaurant fertig zubereitet mit. Das war schon eine tolle Nummer. Aber nicht alle hatten dazu Lust – oder auch keine Zeit dafür, was auch immer. Steffen Henssler, Tim Mälzer und mir war das viel zu viel Aufwand. Johann wollte aber verständlicherweise mit Alfons mithalten. Beide sind Alphatiere und natürlich absolute Könner am Herd. Da bleibt ein Wettstreit nicht aus. Wehe, Markus Lanz gab Alfons das Stichwort »Gewürze« ... dann legte er los und hielt erst mal einen interessanten Vortrag über Vanille. Der gute Johann fand das dann so interessant, dass er vor lauter Begeisterung anfing, mit einer Stoppuhr die Zeit zu messen. Es war ein bisschen wie in einer Fußballmannschaft. Respekt und Konkurrenz gehören halt dazu. Die beiden sind wie zwei großartige Spielmacher, der eine ein robuster und genialer Straßenkicker, der andere ein eher introvertierter Filigrantechniker.

So eine Kochsendung ist eben auch eine Unterhaltungsshow, und wo gehobelt wird, da fallen Späne. Und jeder hat eine andere Art, mit Spänen umzugehen. Ein gutes Beispiel dafür gab mein geschätzter Kollege Tim Mälzer.

Mitten im Hype um die vieldiskutierte Molekularküche

verkündete er in einer Sendung, dass er das auch machen wollte. Tim hatte sich sehr mit der ganzen Chose beschäftigt und ließ dann riesige Behälter mit Trockengas und all dem Gedöns auffahren. Im Publikum saß sein Lehrmeister, bei dem er über viele Tage die Molekularküche erlernt hatte. Man kann ja nicht Kung-Fu ankündigen und dann schon bei der rhythmischen Sportgymnastik verkimmeln. Tim erklärte während des Kochens alles haarklein, dann ging es an die Präsentation und ... nichts funktionierte! Keine Perlchen, kein Dampf, kein Schäumchen, kein nix. Alles ging komplett in die Hose. Verflixt! Und da kam Hochachtung vor Tim bei mir auf. Warum? Er ging drei Schritte zurück, atmete tief durch und entschuldigte sich beim Publikum und bei uns, den Kollegen. Keine Ausflüchte, keine Hintertürchen. Er hat sich einfach nur entschuldigt. Für die Lebensmittel, die er vernichtet hat. Für die kostbare Zeit, die er den Zuschauern geklaut hatte. Das beeindruckte mich, ich fand das wirklich groß. Die Aktion gab mir sehr zu denken, denn diese Klasse hatten wir nicht immer alle, wenn etwas danebenging.

Apropos Klasse. Ich fand es klasse, dass ich jahrelang das Privileg hatte, bei »Kerner kocht« und »Lanz kocht!« so viele interessante Menschen kennenzulernen. Immer wieder neuen Kollegen bei der Arbeit zuzuschauen, etwas von ihnen zu lernen – quasi als Hauptdarsteller in der Kochmanege. Dafür bin ich Markus Heidemanns, Johannes B. Kerner und Markus Lanz sehr dankbar. Und natürlich Johann, Alfons, Tim, Steffen und, und, und ...! Erst als Mutter starb, wurde mir klar, wie dünnhäutig mich dieser Betrieb gemacht hatte. Dieses Showbusiness hatte stärker an mir genagt, als mir bis dahin bewusst war. Mir wurde klar, dass ich nur noch Sendungen machen möchte, mit denen ich mich hundertprozentig wohlfühle, dass ich authentisch werden wollte, dass ich nur noch würde Spaß vermitteln können, wenn ich ihn auch empfand. Heute bin ich kein guter Schauspieler mehr, seit Mutter mir auf dem Sterbebett gesagt hatte, ich solle aufhören, den Clown zu spielen. Ich habe realisiert, dass unsere Zeit auf diesem Planeten sehr begrenzt ist. Und ich habe keine Zeit mehr für Arschlöcher, inklusive mir. Ich möchte morgens aufstehen und mit geradem Rückgrat in den Spiegel schauen. Ich möchte ein Rückgrat besitzen, wo andere Gräten haben. Deswegen schreibe ich mir das alles von der Festplatte. Um Platz für Neues zu schaffen.

10

Mein liebes **Publikum**

Es fing alles ganz harmlos an. Irgendwann während der Dreharbeiten von »Lafer!Lichter!Lecker!« hielt mir ein Mitarbeiter eine »Hörzu« unter die Nase: »Guck mal hier, Horst – bei der Goldenen Kamera, da sind alle berühmten Fernsehköche nominiert. Du bist auch dabei, geil, was?« Da habe ich verwundert die Zeitung mit in eine stille Ecke genommen und noch mal in aller Ruhe nachgeschaut. Und es stimmte: 28 Fernsehköche waren nominiert für die Kategorie »Leser stimmen ab – wer ist der beliebteste Fernsehkoch?«. Alle waren am Start: Schuhbeck, Lafer, Henssler, Mälzer, Herrmann, Müller, Linster, Poletto … sag' einen – er war dabei! Das Beste: ich auch! Ich war total begeistert und rief sofort meine süße Nada an: »Schatz, ich glaube es nicht! Kauf dir mal die neue ›Hörzu‹! Ich bin für die Goldene Kamera nominiert. Wir alle sind nominiert, die ganzen Fernsehköche. Und ich auch. Wie genial ist das denn?« Was ich natürlich auch spitze fand – die suchten den beliebtesten, nicht den besten Koch. Im Klartext: So hatte ich zumindest eine kleine Chance. Alles andere hätte nicht funktioniert. Gegen die Sterneköche kann ich nicht ankochen, da reicht »lecker« nicht. Aber so war wenigstens der Hauch einer Chance vorhanden, wenn auch feiner als 'ne Scheibe Pergament-Carpaccio. Für mich sind das sowieso die schönsten Preise, denn ich mache das doch nicht zuletzt für mein Publikum. Klar möchte ich von meinem Beruf auch gut leben können, aber egal ob ich in meinem Laden am Kohleherd schwitzte oder mit 39,8 Grad Fieber im Theater mein Soloprogramm spielte – ich hätte es mir einfacher machen können, habe aber lieber alles für meine Gäste gegeben. Ich kann nur so.

Wie das Leben oft so spielt: Die Arbeit ging weiter, ich vergaß die ganze »Kamera«-Story. Bis irgendwann Töne, mein Manager, anrief: »Herzlichen Glückwunsch, Hotte! Jetzt wird es heiß! Leg dir schon mal 'nen Smoking ins Gefrierfach!« Ich verstand nur Bangkok. Hä? Und dann erst schnallte der gute Töne, dass ich gar nicht Bescheid wusste. »Horst, du bist unter den letzten drei Nominierten für die Goldene Kamera! Der Publikumspreis!« Verdammte Hacke, da war ich dann aber wirklich ziemlich platt! Unter den letzten drei von 28. Hatte ich noch vor ein paar Wochen die ganze Chose mit einem »mach dir nix vor, gewinnst du eh nicht« weggewischt, musste ich mich jetzt wohl oder übel damit auseinandersetzen, eventuell doch zu gewinnen. Das fand ich mit einem Mal schon etwas erschreckend, so unwirklich. Ich kannte so eine Preisverleihung auch wie jeder normale Bürger nur aus der Glotze. Mit meiner Süßen und einem lecker Bierchen auf dem Sofa lümmelnd. Und auf einmal realisierte ich, dass es demnächst vielleicht eine neue Perspektive gibt. Weil es eventuell bald schon heißen könnte: »… und die Goldene Kamera geht an …!« Ach du grüne Neune!

Aus Spaß wurde Ernst. Die freudige Bedrohung kam immer näher. Immer wieder sagte ich mir: »Hotte, du kleine niederrheinische Pflanze. Es ist unglaublich, alter Knabe – aber du bist tatsächlich unter den drei beliebtesten Köchen Deutschlands. Du kannst nicht alles falsch gemacht haben, oder?« Was mir auch gefiel: dass Steffen Henssler unter den Nominierten war. Ich hatte ihn kennengelernt, als ich mal mit Tim Mälzer in Hamburg unterwegs war. Wir hatten Hunger und Tim meinte: »Weißte was, Hotte? Jetzt gehen wir mal bei einem ganz geilen Typen essen. Der ist gut drauf und kann was am Querbalken. Den habe ich auch VOX empfohlen.« Tim hatte ja damals bei VOX gekündigt und dem Sender zwei »Nachfolger« vorgeschlagen: entweder Henssler oder Lichter. Mich haben die aber gar nicht angefragt, sondern direkt den Henssler. Der war ja auch eher so ein Typ wie Tim, dynamisch, frech und kompetent. Aber zurück zu unserem damaligen Abend. Mälzer schleppte mich direkt ins »Henssler & Henssler«, Steffens Restaurant. Das war ein Fest für meinen Gaumen, ich hab' mir vor Wonne fast die Geschmacksknospen auf der Zunge weggelutscht. Der Laden war für eine Dorfpomeranze wie mich etwas gewöhnungsbedürftig, sehr nüchtern und etwas zu stylisch. Aber das Essen war genial, sensationell. Die Sushi-Variationen waren der Hammer. Ich hatte so etwas Geiles noch nie gegessen, ich fand es nur super. Nachdem wir alles weggespachtelt hatten, ging Tim mit mir nach vorne, um mir den Meister Henssler mal persönlich vorzustellen. Steffen kam auch, hat mich aber gar nicht groß beachtet. Pfötchen gegeben und fertig. Für ihn war ich halt irgendjemand, den Tim dabeihatte. Ich geselliger Rheinländer hatte auch von hanseatischer Zurückhaltung und Distanz noch nicht viel gehört und überhaupt keine Erfahrung mit diesem wunderbaren Menschenschlag. Also bin ich da rausgegangen und habe nur gedacht, »was ein arrogantes Arschloch«. Das habe ich natürlich dann auch gleich Tim unter die Nase gerieben. Doch der meinte nur: »Nee, Hotte, der Steffen ist ein Guter. Der ist gerade.« Ich war nicht wirklich überzeugt. Das nächste Mal traf ich Steffen bei »Lanz kocht!«. Da wurde ich immer noch nicht so richtig warm mit ihm. Dann kam er immer öfter in die Sendung und ich verstand so langsam seine Art und wie er so drauf ist. Und da machte es bei mir »klick«. Der war einfach nur ehrlich, geraderaus und ein guter Koch. Punkt, aus. Auf einmal hatte ich richtig Spaß mit dem Kerl. Da wurde es für mich Zeit, mal was geradezurücken, drum bin ich zu ihm hingegangen und habe gesagt: »Du Steffen, ich muss dir mal unbedingt was sagen. Als ich dich das erste Mal getroffen habe, habe ich gedacht, boah, bist du ein arrogantes Arschloch. Als ich dich das zweite Mal getroffen hab, dachte ich immer noch, dass ich recht habe. Heute möchte ich mich dafür bei dir entschuldigen, dass ich das gedacht habe. Denn du bist einer der wenigen Echten.« Und so ist es. Steffen ist so, wie er ist. Ich kannte halt nur bis dahin keinen Hamburger. Wenn der dir sagt »ich helfe dir«, dann hilft der dir. Wenn der sagt »ich kann das«, dann kann der das auch. Solche Menschen sind rar im Showgeschäft. Und deswegen mag ich ihn so sehr. Obendrein ist er auch noch in derselben Agentur wie ich. Da würde der Preis wenigstens in der Familie bleiben, falls er gewinnt. Der Dritte im Bunde war Frank Rosin, auch so ein testosterongetränkter Jungbulle … und sehr guter Koch. Der hatte ebenfalls eine ganze Fan-Armada hinter sich stehen, sonst wäre er wohl kaum unter die letzten drei gekommen. Und ich alter Sack dazwischen, der Sahnepapst mit dem losen Mundwerk. Die liebenswerte Frohnatur aus dem Butterfässchen. Wir waren also die letzten drei mit den meisten Stimmen vom Publikum. Man konnte abstimmen per Briefwahl, E-Mail, Telefon und was weiß ich noch alles. Ich fühlte mich auf der einen Seite total gebauchpinselt, auf der anderen Seite dachte ich auch an meine Kollegen. Genauer gesagt an Johann. Ich weiß noch gut, dass ich zu ihm gesagt habe: »Tut mir leid, Johann, dass du nicht mehr dabei bist, alter Knabe. Du hättest es wirklich verdient. Es wäre sehr lieb von dir, wenn du deine Fans dazu aufrufen könntest, für mich zu stimmen.« Das hat er auch dankenswerterweise gemacht.

Irgendwann flatterte natürlich auch die Einladung zur Preis-verleihungs-Gala ins Haus – die Verleihung der Goldenen Kamera fand in Berlin statt. Einziges Problem: Ich hatte an dem Tag einen Auftritt in Hamburg, im CCH. Schon ewig geplant, schon lange ausverkauft und festgeklöppelt im Tourneeplan. Verständlicherweise sagte mein Management: »Horst, das ist so eine große Ehre, da musst du hin. Komm, wir verlegen den Auftritt, das bekommen wir geregelt. Die Zuschauer, deine Fans werden bestimmt Verständnis haben. Stell dir mal vor, du bekommst den Preis und bist nicht da, das geht doch nicht!« Gute Argumente, ganz klar. Aber trotzdem war der Fall für mich nicht so einfach erledigt, ich wollte drüber nachdenken. Zwei Nächte habe ich schlecht gepennt und scharf in mich reingehorcht. Und dann war alles ganz klar: »Leute, ich kann den Auftritt nicht absagen. Überlegt doch mal: Das Ganze ist doch eine Publikumswahl! Ich kann doch mein Publikum nicht im Stich lassen.« Was hatte ich an dem Abend? Einen Auftritt. Ich sollte auf der Bühne stehen, vor 2 000 Menschen, die ein Jahr darauf gewartet hatten, mich zu sehen. Denen konnte ich doch nicht sagen: »Entschuldigung, ich muss auf den roten Teppich, weil ich vielleicht von euch die Goldene Kamera bekomme.« Das ging nicht. Das war gegen alle meine Prinzipien. Und – ich war mir sowieso ganz sicher, dass Steffen Henssler gewinnt. Ich war felsenfest davon überzeugt. Sicher, ich wäre gerne an dem Abend in Berlin gewesen, über den roten Teppich gelaufen. Ganz ehrlich, ich gehe ja sehr selten zu solchen Feierlichkeiten, aber da wäre ich gerne dabei gewesen.

Am Abend der Preisverleihung, bevor ich auf die Bühne ging, schickte ich noch schnell eine SMS an Steffen. »Steffen, mein Freund. Genieße den Abend, du wirst bestimmt gewinnen. Und ich gönne es dir von ganzem Herzen.« Doch bevor ich sentimental werden konnte, textete Steffen robust, aber herzlich zurück: »Komm Alter, halt mal den Ball flach. Alles gut. Wenn du gewinnst, gönne ich es dir …!« Den Rest konnte ich nicht mehr lesen. Ich hatte Tränen der Rührung in den Augen.

Das ZDF hatte eine Live-Schaltung zu mir auf die Bühne klargemacht. Wie sie das in solchen Fällen ja immer machen. Irgendwann würden die sich melden, mich per Leinwand dazuschalten und ich sollte artig sagen: »Ja, guten Abend, Berlin, hier ist euer Horst in Hamburg.« Kein großes Ding. Was ich jedoch nicht wusste, ist, dass die da jemanden nach Hamburg bestellt hatten. Ich startete also mit meiner Show, alles lief wie immer. Ich servierte meinen Bühnengästen gerade was zu schnabulieren, als die liebe Hella von Sinnen juchzend auf mich zustürmte. Da war ich schon ziemlich überrascht. Dann kam die Live-Schalte und ich sah die Moderatoren der Gala, Hape Kerkeling mit der wunderhübschen Michelle Hunziker, in Berlin. Kurzes Geplänkel der Marke »Ist das aufregend«. Dann hieß es: »Jetzt kommt die Auflösung durch den Chefredakteur« und dann stand ich da mit Hella … innerlich bibbernd auf der Bühne des CCH … verfolgte das alles wie in Trance … hörte den Meister wie durch Watte sagen, »dritter Platz mit 17 Prozent für Steffen Henssler«, »Platz zwei mit 25 Prozent aller Stimmen für Frank Rosin« … und dann war ich schon am Jubeln … und mit mir der ganze Saal! Wahnsinn. Standing Ovations vom Publikum. Dieser Jubel, dieses unbeschreibliche Gefühl des Sieges, die Begeisterung der Hamburger vor und auf der Bühne, Hella, die mich knuddelte und dann weiterlaberte, meine Süße, die auf die Bühne stürmte und mich abknutschte. Wunderbar, wir waren eine Einheit, ich und meine Gäste, meine Fans. Ich war mittendrin in diesem Vollbad der Emotionen.

Was ich in dem Moment alles durchlebt habe, kann ich gar nicht mehr sagen. Es war für mich so unfassbar, ich habe geweint, ich habe gelacht, alles auf einmal. Mein Schatz sagte zu mir: »Genieß den Augenblick!« Ich versuchte eine Dankesrede, mir fielen nur die beiden Markusse ein, aber nicht ihre Nachnamen, so fertig war ich. Ich fand keine Namen mehr! Hella half mir, so konnte ich doch noch Markus Heidemanns danken für »Lafer!Lichter!Lecker!« und Markus Lanz für das wunderschöne Buch, das er damals über mich geschrieben hat. Olaf Lübcke vom WDR fiel mir Gott sei Dank auch noch ein – der Mann, der mich überhaupt erst für das Fernsehen entdeckt hat. Ich wollte so vielen Menschen … aber es war alles weg. Ich weinte nur noch vor Glück. Und dann haben wir gefeiert bis zum Gedächtnisverlust. Im Hotel spielte eine sensationelle Dreimannkapelle mit einem Altersdurchschnitt von etwa 94 die Nacht durch. Eigentlich sollten die nur so ein bisschen Bar-Jazz spielen, aber ich habe die dann dazu überredet, 'nen etwas flotteren Streifen anzubieten. Und was haben die Gas gegeben – als wären sie noch mal 35. Ich bat alle älteren Damen auf die Tanzfläche, drehte eine Runde nach der nächsten und wir tanzten bis halb fünf Uhr morgens, lachten, feierten. Ich war der glücklichste Mensch der Welt und versuchte, diesen Moment ein bisschen festzuhalten. Natürlich rief ich sofort Mutter an, so happy wie ich war. Die war genauso freudig neben der Spur wie ich. Sie war hin und weg, unfassbar glücklich und stolz: »Jung', das Telefon steht nicht mehr still. Alle rufen an und gratulieren. Ich bin so stolz auf dich.«

Mutter hatte dieser Preis richtig Oberwasser beschert. Sie war ja mit meinem Image im Fernsehen oft sehr unzufrieden. Dass es so aussah, als könnte ich nicht richtig kochen. Dass ich andauernd – wie sie es gerne nannte – Blödsinn gemacht habe. Dabei hätte sie, wie wohl jede Mutter, mit ihrem Sohn dick bei ihren Freundinnen angeben wollen. Die wiederum waren davon natürlich oft genervt und hauten ihr dann gerne um die Ohren, dass mein Soufflé oder weiß der Kuckuck was in der letzten Sendung misslungen war. Aber die Goldene Kamera für den beliebtesten Fernsehkoch, das war von da ab natürlich ihr ganz großer Joker. Frei nach dem Motto »Vielleicht ist dem Jungen was danebengegangen, aber er ist trotzdem der Beliebteste«. Basta. Deswegen hatte sie in den Tagen nach der Verleihung ja auch allen Nörglern, die auf einmal zu Trittbettfahrern wurden, erst mal das Maul gestopft. »Ja, Jung', stell dir mal vor, da haben mich die Leute in Rommerskirchen angesprochen und meinten, jetzt hätten *wir in Rommerskirchen* die Goldene Kamera. Denen habe ich aber was gehustet. ›Nein‹, habe ich gesagt, ›nicht Rommerskirchen hat die Goldene Kamera gewonnen, sondern mein Sohn ganz alleine.‹« Das war halt Mutter, da verstand die keinen Spaß. Ich habe es ihr so gegönnt.

Das waren tolle Tage. Interviews, unendlich viel Anteilnahme und Gratulationen. Viele fragten mich natürlich: »Sag mal Horst, bist du nicht doch ein bisschen traurig, dass du nicht da warst? Mensch, da wärst du doch richtig abgefeiert worden.« War ich aber nicht traurig drüber, denn ich war ja mit 2000 Fans zusammen, die mich frenetisch abgefeiert haben. Meinem Publikum. Für mich ging es nicht besser: Wer einen Publikumspreis bekommt und gleichzeitig vor seinem Publikum steht – perfekter kann es doch nicht sein, Kinders!

Die Kollegen reagierten natürlich auch. Einige. Ein feiner Kerl und guter Dritter: Steffen Henssler. Der hat mir noch aus der Sendung heraus eine Glückwunsch-SMS geschrieben. Das fand ich ganz groß. Alexander Herrmann rief an. Der gute Johann schickte mir auch eine liebe Nachricht per Handy. Und Alfons Schuhbeck war wieder ganz Alfons, wie ich ihn kenne und mag. Irgendwann, ich glaube es war ein paar Tage nach der Verleihung: »Sag mal Hotte, was ist eigentlich aus der Dingsda-Preisnummer geworden, wer hat den eigentlich gewonnen?« Da hätte ich mich schon wieder brezeln können. Alfons ist einfach zu cool für so »an Schmarrn«. Der kümmert sich um seinen Stiefel und sonst nix. Herrlich.

Manchmal wäre ich auch gern so, aber ich bin einfach zu mitfühlend, mir gehen Freud und Leid meiner Mitmenschen immer gleich an die Nieren. Als Steffens Sendung »Grill den Henssler« für den Bambi nominiert war, da habe ich mit meiner Nada auf dem Sofa gelegen und mir vor Aufregung fast den Schnurrbart weggekaut. Was wäre das geil, wenn er das Tierchen abräumt! Als er dann wirklich gewonnen hatte, hab' ich mich so gefreut, mir liefen die Tränen die Wangen runter. Habe eine Packung Tempos weggeschneuzt vor Rührung. Es war da ja auch ähnlich wie bei mir, weil Steffen ebenfalls nicht im Saal vor Ort war, sondern auf Tournee. Seine Moderations-kollegin bedankte sich wortreich beim Team, weil »ihr seht ja immer nur den Steffen und mich«, bedankte sich auch in Steffens Namen, natürlich, aber ich vermisste die Huldigung des Namensgebers der Sendung. Ich war kaum zu beruhigen, bin steil durchs Wohnzimmer gegangen und hab' die dicken Kissen zerrupft. Das war schließlich der Publikums-Bambi für »Grill den Henssler«. Das hat mir fast das Herz rausgerissen. Natürlich ist jeder wichtig: der Kameramann, das Team, die Maskenbildner, Produzenten. Alle reißen das gemeinsam. Aber wenn dein Partner der Namensgeber der Show ist, dann ist er eben auch der Grund, warum es diese Show gibt. Und dann muss man diese Person doch auch gebührend abfeiern, oder? Aber vielleicht bin ich ja auch zu altmodisch. Ich mache mir dann eben für meine Kumpels 'nen Kopf. Wahrscheinlich war das dem Steffen sogar mopsegal. Ich bin eben ein Sensibelchen, daran wird sich wohl nichts mehr ändern. Aber ohne diese Charaktereigenschaft – und das habe ich mittlerweile begriffen – wäre ich nicht der Horst Lichter, der ich bin. Und den die Leute, sein Publikum, so lieben und verehren. Oder mit der gleichen Hingabe auch nicht mögen, so ist das nun mal. Man kann nicht jedem gefallen. Früher wollte ich das immer. Seit Mutters Tod ist mir das ein bisschen abhandengekommen, und darüber bin ich auch nicht traurig.

Ich möchte den Rest meines Lebens nicht damit verplempern, es jedem recht zu machen. Das geht nicht. Ich musste das schon oft erfahren. Ich hab damals mein »Lichter's Lecker Bierchen« gemacht, in Zusammenarbeit mit einer kleinen Brauerei aus Mönchengladbach. Ich sage heute noch gerne: »Mit denen hab ich ein absolutes Sensationsbier gemacht.« Es wurde damals sogar vom größten Bierclub Deutschlands zum »Bier des Monats« gewählt. Das Bier wurde in Bügelflaschen in einer schönen Holzkiste geliefert. Die haben wir extra bauen lassen in Behindertenheimen. Mein Gedanke dabei war schon immer: Spenden ist gut, aber Arbeit geben eben auch. Diese Kisten waren leider auch ein Grund, warum wir das Bier später einstellen mussten. Die Großhändler meinten, dass sich das Bier in Deutschland so nicht verkaufen würde. Aber das wollte ich nicht. Das machte das ganze Produkt für mich sinnlos und kaputt. Entweder so wie ich es möchte oder gar nicht. Das heißt ja nicht, dass man nicht empfänglich für Kritik ist. Das heißt, dass ich am Ende eines Entscheidungsprozesses, nach sorgfältigem Abwägen aller Argumente, mit ganzem Herzen hinter einer Sache stehen können will.

Ich kann es nur immer wieder sagen: Ich möchte meine kostbare Zeit und Energie für Menschen aufsparen, die auf meiner Welle funken. Ich habe keine Zeit mehr für Arschlöcher, Egoisten, Querulanten und Wichtigtuer. Wie sagt mein Manager Töne immer: »Das Leben ist zu kurz für ein langes Gesicht.« Genau. Authentisch werden, sein und bleiben. Das hat für mich mittlerweile oberste Priorität. Weg mit dem Kram, der einen herunterzieht und schlecht schlafen lässt. Den man nur noch mit Bauchschmerzen bewältigen kann. Mein Publikum soll mich lieben, so wie ich bin. Darum bin ich auch so wahnsinnig glücklich, dass der wichtigste Preis in meiner Karriere nicht von einer Jury vergeben wurde, sondern von den Menschen da draußen, die mich lieben. Ganz klar, was auch immer kommen wird, was sich auch ändern wird oder auch nicht. Eins bleibt: Die Goldene Kamera, die mir mein Publikum beschert hat. Das war der größte und glücklichste Augenblick in meinem Berufsleben. Danke noch mal! Danke, dass ich das erleben durfte! Danke, ihr lieben Leute!

II

Ein
Schmetterling
kommt
selten
allein

In der Zeit, als Mutter im Krankenhaus lag und es von Woche zu Woche schlimmer um sie stand, merkte ich zum ersten Mal, wer es gut mit mir meint. Mein Management zum Beispiel, das war immer für mich da, stand zu mir »wie das Pils in der Brandung«. Das ist ein Lieblingsspruch meines Managers Töne Stallmeyer, und darum kommt der auch genau an dieser Stelle. Ich war so oft verzweifelt, wenn ich aus dem Krankenhaus kam, weil ich ja all meine Kraft tagsüber für Mutter verbraucht hatte. Und wenn ich dann einen Anruf bekam von Töne oder seiner Frau Gesa, dann durfte ich mich auch mal schwach zeigen. Weinen. Meiner Traurigkeit freien Lauf lassen, ohne mich angreifbar zu machen. Das war wichtig für mich, das tat mir immer unheimlich gut. Ich wusste, da sind Menschen, die auf mich aufpassen, ein offenes Ohr haben und mich beschützen. Die haben mitgeweint, mitgefühlt und waren einfach nur liebe Menschen. Ich weiß nicht, wie oft ich diesen Satz von ihnen hörte: »Horst, wenn es Mutter weiterhin nicht gut geht, sagen wir erst mal alles ab.« Unglaublich, wie sich diese Beziehung entwickelt hat, denn das waren ja keine Menschen, die mir vorher richtig nahe gestanden haben. Wir hatten eine vertrauensvolle Geschäftsbeziehung, das ist ja an sich schon mal Gold wert in unserem Beruf. Töne war mein Manager, bestenfalls ein Kumpel, mit dem man gut über alte Autos quatschen konnte. Und plötzlich behelligte ich ihn so exzessiv mit meinem persönlichen, familiären Drama. Hab' ihn in der Zeit immer wieder angerufen und mich von meiner verletzlichsten Seite gezeigt. Da hätten die auch ganz schön nervös werden können. Verträge, Dreharbeiten, Theater – was machen wir, wenn Horst nicht mehr kann, nicht mehr will? Und die haben mich einfach getröstet: »Hotte, jetzt ist Feierabend, jetzt machst du erst mal gar nichts. Keine Sorge, wir halten dir den Rücken frei.« Allein deswegen ging es auch dann anders weiter. Das hat mir Kraft gegeben, mir das Rückgrat gestärkt. Darum konnte ich sagen: »Ich danke euch sehr, aber ich muss jetzt zur Arbeit. Ich kann die Leute nicht hängenlassen.« So bin ich halt, das ist meine Erziehung, das ist in meiner DNA. Das war schon in der Lehre so. Auch wenn es mir schlecht ging, habe ich es durchgezogen und niemanden im Stich gelassen. Wie es persönlich um mich steht, das geht keinen Gast, keinen Zuschauer was an, die haben ein Recht auf einen schönen Abend.

Kurz nachdem Mutter gestorben war, sollte ich eigentlich

zu Dreharbeiten für einen Fernseh-Dreiteiler. Ich war natürlich fertig und platt, aber eines kam für mich nicht in Frage, nämlich absagen. Also habe ich im Büro angerufen, Töne Bescheid gesagt und es durchgezogen: »Leute, sagt dem Team, dass ich wie vereinbart komme. Wir drehen.« Und dann habe ich am letzten Urlaubstag alles noch geregelt. Mutters Krankenhauszimmer ausgeräumt, ihre Sachen weggebracht, allen wichtigen Leuten über ihren Tod Bescheid gegeben. Ich bin zum Beerdigungsinstitut gefahren und habe alles arrangiert und bis ins kleinste Detail geregelt, wie Mutter es gewollt hatte.

Fast befreit setzte ich mich ins Auto und fuhr nach Hause. Packte meine Koffer und machte mich auf den Weg zum Drehort. Am Abend habe ich mich mit dem Team hingesetzt und ganz offen die Karten auf den Tisch gelegt. Erzählt, was passiert war in den letzten Wochen. Damit alle wussten, was mit mir los ist. Ich wollte keine Heimlichtuerei. Kein Tuscheln, falls ich mal heulen musste. »So, ab morgen versuchen wir alle, normal miteinander umzugehen. Ich brauche kein Mitleid, ich will keine übertriebene Rücksichtnahme. Ich brauche keine Samthandschuhe, ich möchte nur Menschlichkeit und Verständnis. Wir machen jetzt einen tollen Job und drehen einen wunderbaren Film.« Und das haben wir auch geschafft. Solange wir gedreht haben, konnte ich mich in der Arbeit verlieren, meine Gedanken daran hindern, permanent abzuschweifen. Aber die Nacht war nicht mein Freund. Dann geisterten die letzten Wochen durch meinen Schädel. Fragen wie »Hast du alles richtig gemacht? Alles gegeben? Warum hast du Mutter nicht von der OP abgehalten? Hast du ihr auch gesagt, dass du sie liebst?«. Und dann lag ich wach und fand nur selten den traumlosen Schlaf. Interessant auch: Ab dem Moment, da Mutter verstorben war, stolperte ich laufend über klischeestrotzende Kalendersprüche wie »Es gibt tausend Krankheiten, aber nur eine Gesundheit« oder »Gesundheit und froher Mut, das ist des Menschen höchstes Gut«. Im Radio hörte ich nur Lieder, die von Verlust und Trauer handelten. Wahrscheinlich ist man in so einer Situation viel sensibler und empfänglicher für weise Sprüche, melancholische Lieder oder die Schönheit der Natur und nimmt so was deshalb gehäuft wahr. Ich merkte in dieser Zeit sehr deutlich, wie dünnhäutig ich geworden war. Aber das Filmteam hat mich großartig unterstützt und so konnte ich acht Tage am Stück drehen.

Dann kam der Tag der Beerdigung. Ich hatte alles so arrangiert, wie Mutter es wollte. Verbrennung, Urne, Grabstein. In der Kneipe, wo sie Vater kennengelernt hatte, das Beerdigungsessen bestellt. Es war Anfang Oktober und schon seit Tagen nass und kalt. Ein mieses Herbstwetter, das einem kalt und feucht durch die Knochen kroch. Beerdigungswetter, traurig und grau. Mit der ganzen Familie stand ich in der Kapelle und hatte trotzdem das Gefühl, ich würde im Freien im kühlen Regen stehen. Ich nahm die Leute wahr, habe aber niemanden richtig gesehen. Hörte das Scharren der Füße auf dem Steinboden. Das Räuspern und Wispern, die betretene Stille. Ich stand so unendlich traurig in dieser kleinen, scheißkalten Kapelle und hörte den Worten des Pastors zu: »... jetzt wollen wir eine Minute schweigen.« Und mitten in dieser kalten Stille, in dieser dunklen Kapelle fliegt auf einmal ein wunderschöner Schmetterling. Ich war völlig baff, konnte es gar nicht fassen. Ich dachte wirklich: »Jetzt hast du einen an der Waffel, Horst – das ist Blödsinn, du hast Halluzinationen!«

Aber da war der Schmetterling, drehte ein paar Runden durch die Kapelle und sah so schön aus in dem ganzen Grau und Schwarz. Ich konzentrierte mich ganz auf den Schmetterling, überlegte – leben im Oktober überhaupt noch Schmetterlinge? Wie kommt der hier in diese trübe, kalte Kapelle? Ist das ein Zeichen? Zufall? Spricht Gott so zu uns? Ist das seine Art, uns zu zeigen, dass selbst in tiefer Trauer, in der Kälte und im Dunkeln reine Schönheit existieren kann?

Als wir alle die Kapelle verließen, kam meine Tochter zu mir und fragte mich verwundert: »Sag mal, Papa, hast du den Schmetterling gesehen?« Ich wischte mir die Tränen aus den Augen.

Der Leichenschmaus war Gott sei Dank sehr schön. Mutter wollte ja, dass wir lachen und lustige Geschichten von ihr erzählen. Das wünscht sich wohl jeder. Ich wünsche mir das auch. Ich hab mir sogar mal vorgenommen, mich vor die Kamera zu setzen und dann eine Ansprache zu halten, damit auf jeden Fall alle bei meiner Beerdigung lachen. Die Idee habe ich noch nicht verworfen, ich finde sie immer noch gut!

Nach der Beerdigung standen erneut Dreharbeiten auf meinem Arbeitsplan. Dreharbeiten, auf die ich mich aber wenigstens freute, denn »Bares für Rares« ist eine Sendung, die ich wirklich von ganzem Herzen liebe. Wir drehen in Köln, in so einer riesengroßen alten Halle. Vier Monate zuvor hatte Mutter mich noch in dieser Halle besucht. Das vergesse ich nie, weil es eine von Mutters wahnwitzigen Aktionen war. Sie kam nämlich nicht nur, um mich mit meiner Tochter zu besuchen. Nein, das wäre ja zu simpel gewesen, Mutter hatte ein altes Tablett verkaufen wollen. Natürlich hatte ich mit Engelszungen geredet: »Bitte, Mutter – das ist doch Unfug!

Du musst doch nicht das olle Tablett hier verkaufen!« Aber es war natürlich zwecklos, so unfassbar stur, wie sie nun mal war. Und da war sie noch fit gewesen, hatte sich die Dreharbeiten angeguckt, hier und da noch ein bisschen gelästert über dieses und jenes … also alles wie immer. Natürlich war sie auch überhaupt nicht damit einverstanden, was das schangelige Tablett noch wert sein sollte. Kurzum: Mutter, wie sie leibt und lebt. Krawetzig, stur, den Schalk im Nacken.

Daran musste ich sofort denken, als ich nach ihrem Tod erstmals wieder in der Halle stand und die Dreharbeiten losgingen. Und nach ein paar Tagen passierte etwas Unglaubliches. Mitten in einer Szene kam ein Schmetterling angeflogen und setzte sich bei mir auf die Schulter. Ich dachte, mich trifft der Schlag! Ich dachte: »Mach einfach weiter, Hotte, die werden schon sagen, wenn wir abbrechen müssen.« Der Schmetterling flog von meiner Schulter, setzte sich vertrauensvoll auf meine Hand und blieb dort eine ganze Zeit lang sitzen. Dann habe ich angefangen, über den Schmetterling zu sprechen. In der Sendung, das wurde auch nicht rausgeschnitten und wurde genau so später im Fernsehen gezeigt. Ich war schwer erschüttert. Zweimal ein Schmetterling. Auf der Beerdigung und in der Halle. Beide Male im Zusammenhang mit Mutter, da kam ich schon schwer ins Grübeln. Und habe intensiv nachgedacht. Über Schmetterlinge und über das Leben an sich. Was ist der Tod? Das Ende? Wachen wir vielleicht nur auf vom Traum des Lebens? Und da wurde mir klar, dass alles auf dieser Erde für immer hier bleibt. Außer so eine Art Urknall pustet irgendwann das Universum weg. Alles, was hier ist, bleibt für immer hier. Wir verwesen oder werden verbrannt. Was geht da verloren? Es wird doch nur der Zustand der Materie verändert. Die Physik sagt, Energie bleibt

Energie und verschwindet nicht. Es ist immer alles hier. Egal in welcher Form. Man ist erst dann wirklich tot, wenn man vergessen wird. Wenn sich keiner mehr an einen erinnert. Ich glaube ganz fest, solange ich an Mutter denke, lebt sie weiter. Ich bin ein Stück von meiner Mutter, von meinem Papa, von den Urgroßeltern. Von ihnen allen fließt Blut in meinen Adern. Und meine Kinder und meine Enkelkinder sind auch wieder ein Teil von mir, ein Teil von meiner Mutter … und so stirbt man vielleicht, aber ein Teil lebt weiter.

Weil ja auch Mutters Geschichten und Klöpse, die sie so gebracht hatte, unvergesslich sind. Zu meinen WDR-Zeiten feierte sie mit ihren Kaffeetanten einfach alles ab. Jedes Bild, jeder Satz und jedes Rezept wurde bewundernd kommentiert. Und je öfter sie dann im Dorf hier und da schon mal angesprochen wurde, desto stolzer und erfreuter war sie.

Ich tauchte dann ab und zu bei »Kerner kocht« auf und tat mich – wie sie es meckernd bemerkte – vor allem durch Blödsinn hervor; ab da wurde ihre Begeisterung doch erheblich gebremst. Vor allem, wenn meine großen Kollegen mich tadelten, weil ich mich in deren Augen »verkocht« hatte. Dann rief sie in feiner Regelmäßigkeit bei mir an und wies mich beleidigt zurecht: »Jung', so geht das nicht. Die Frau Kutz von nebenan hat auch schon mit mir gesprochen. Die hat das gesehen! Und stell dir mal vor, die hat mich doch glatt gefragt, ob du nicht richtig kochen kannst! Mensch, jetzt lass dich doch da nicht rumschubsen. Jetzt stell dich doch nicht so an!« Das hat ihr wohl nicht geschmeckt. Sie wollte sich bei der Nachbarin etwas aufplustern und die ließ ihr die Luft raus. Da haben sich die alten Damen natürlich nix geschenkt. Sobald Mutter mit mir auftrumpfen wollte, haute ihr jemand meinen Quatsch um die Ohren. Darum wurde das bei Mutter

schon fast zu einer fixen Idee – egal ob »Lanz kocht!« oder
»Lafer!Lichter!Lecker!« –, immer hat die Gute mit mir geschimpft: »Zeig doch dem Herrn Lafer mal, dass du kochen
kannst. Du kannst das doch viel besser, das weiß ich doch.
Stell dich bitte nicht immer so dumm. Die Leute glauben ja
alle, du bist dumm!« Da konnte ich reden, was und so oft ich
wollte: »Mama, wir machen Spaß, das ist doch nur eine Fernsehsendung. Das ist eine Rolle, die ich spiele. Alles, was ich
koche, sieht vielleicht nicht so hübsch aus, aber es schmeckt
alles lecker, wir essen nachher alles auf!« Aber, so sind Mütter
nun mal – Mama wollte, dass ich da wie ein Sternekoch rüber-
komme, so ein bisschen à la Maître Wichtig. Wir haben uns
natürlich immer darüber amüsiert, weil sie so rüberkam wie
eine übermotivierte Eiskunstlaufmama. Meine Kinder haben
mir häufig Storys erzählt, die zum Schießen waren. Wenn sie
zum Beispiel mit meiner Mutter mit dem Bus nach Köln fuhren. Normal ist das ja so: Man steigt ein, kauft eine Fahrkarte
und setzt sich hin. Oder kauft die Karte vorher, steigt ein und
setzt sich dann eben hin. Aber Mutter hatte eine ganz andere
Methode entwickelt, seitdem ich regelmäßig im Fernsehen zu
sehen war. Sie stieg vorne in den Bus, guckte erst mal, wer
alles drinsaß und sagte dann ganz laut – aber wirklich so laut,
dass es die letzte Bank auch noch sicher hören konnte: »Eine
Fahrkarte für Frau Lichter nach Colonia, bitte!« Und wenn
sie das Gefühl hatte, es hätten ein paar Leute ihr Sprüchlein
eventuell überhört, dann wiederholte sie es sicherheitshalber
noch mal etwas lauter. Dann folgte der nächste Akt ihrer In-
szenierung und meistens taten ihr die Busfahrer den Gefallen.
Sie fragten nämlich höflich: »Sind Sie mit dem Horst Lichter
verwandt?« Das war ihr Stichwort, darauf hatte sie gelauert
und trompetete kokett in den Bus: »Ja sicher. Ich bin seine

Mutter!«, setzte sich prominent hin und murmelte laut genug für alle so etwas wie: »Tstststs, nirgendwo kann man mehr hingehen, ohne erkannt zu werden. Alles dreht sich um meinen Sohn.«

Unvergessen waren auch ihre Besuche im Theater, wenn ich meine Soloprogramme spielte. Dann ist sie natürlich mit dem Auto gekommen, meistens zusammen mit meiner Nada. Wenn Nada mich allein im Theater besuchen kommt, fährt sie auf den normalen Parkplatz, zieht sich ein Parkticket und zahlt ihren Parkplatz wie jeder andere auch. Die würde noch nicht mal nachfragen, ob es für die Ehefrau eventuell einen Parkplatz hinten beim Bühneneingang gibt. Auf so einen Gedanken wäre mein Schatz nie gekommen. Aber für meine Mutter, Queen Mum sozusagen, für die kam ein normaler Besucherparkplatz nicht in Frage. Da es sich in ihren Augen ja praktisch um einen offiziellen Staatsbesuch handelte, fuhr sie mit ihrem Ford Fiesta direkt zum Pförtner, ließ das Fenster runter und flötete wie Ihre Majestät: »Junger Mann, wo ist denn hier der Parkplatz für die Mutter des Künstlers?« Damit kam sie natürlich immer durch, meistens brachte der Pförtner sie direkt bis zur Garderobe. Ach Mutter, die war manchmal so drollig. Eine Marke.

Legendär auch ihr Besuch mit mir in der Talkshow von Markus Lanz. Noch so eine Hammernummer, die ich nie vergessen werde! Wir durften also zu Markus in die Talkshow, eine schon damals unglaublich erfolgreiche Sendung. Mutter und ich. Das war ihr wichtig, das schmierte sie mir natürlich permanent auf die Stulle: »Junge, der hat uns beide eingeladen. Es geht nicht immer nur um dich.« Da hab ich mich schon drüber beömmelt. Aber es kam noch besser. Mutter fragte mich irgendwann sehr interessiert: »Junge, wie wird das denn bezahlt?« Ich sagte: »Äh, eine Talkshow wird eigentlich nicht bezahlt. Wir bekommen den Hin- und Rückflug nach Hamburg gezahlt, ein Hotelzimmer und manchmal gibt es sogar eine kleine Aufwandsentschädigung.« Anscheinend zufrieden mit dieser Auskunft sprach sie das Thema mir gegenüber nicht mehr an. Der Tag der Sendung kam, und was soll ich sagen, die Sendung war ein Knaller, die war wahnsinnig lustig! Mutter war witzig, charmant und schlagfertig, die Leute haben sich prächtig amüsiert. Ich habe mich auch sehr wohlgefühlt und habe ihr schöne Vorlagen geliefert. Mutter in ihrer Paraderolle hat mich als ungezogenes Kleinkind hingestellt, was für das Publikum natürlich wahnsinnig unterhaltsam war. Und ich fand es auch sehr witzig, ich hatte meinen Spaß, weil sie so gut drauf war. So weit, so gut. Circa eineinhalb Jahre später treffe ich dann einen Mitarbeiter der Produktionsfirma und wir kommen ins Labern über dieses und jenes. Zufällig kommt auch das Thema auf Mutter und der Typ sagt lachend: »Du Horst, mit deiner Mutter hatten wir wirklich eine der härtesten Gagenverhandlungen für die Talkshow, die ich je erlebt habe!« Ich verstehe nur Bahnhof und frage arglos: »Hä? Wie, was verhandelt – Gage, wieso denn Gage?« Mir brach der Schweiß aus und er kriegte sich vor lauter Grinsen nicht mehr ein. »Na, deine Mutter, die musste ja einen Vertrag unterschreiben für die Talksendung.«

»Ja, ist ja normal, oder?« Ich schnallte einfach nicht, was der Mann wollte. »Ja, aber die hat ja auch dann über ihr Honorar mit mir verhandelt und zwar knallhart! O-Ton: ›Wenn Sie die Frau Lichter haben möchten, muss Ihnen das schon 1000 € wert sein, schließlich wollte sie ja auch noch in den Urlaub fahren!‹« Ich war fix und foxi. Davon hatte Mutter mir natürlich nix erzählt. Aber so war es. Mächtig amüsiert und beeindruckt von Mutters beinhartem Verhandlungsgeschick haben die dann meiner Mutter 1000 € für ihre Teilnahme bezahlt.

Dann fiel es mir wie Schuppen aus dem Kragen und ich erinnerte mich daran, wie Mutter mich zwei Wochen nach der Sendung gefragt hat: »Sag mal Junge, wann bezahlen die eigentlich so in der Regel beim Fernsehen?« »Mutter, was meinst du denn?« »Ja, wir waren doch vor zwei Wochen bei dieser Talksendung und ich habe noch kein Geld auf dem Konto. Bezahlen die das nicht sofort?« Ich sagte: »Mutter, ich weiß es nicht. Aber das kommt bestimmt bald.« Muss wohl auch, denn von da ab war Ruhe. Und als ich mich dann bei allen Beteiligten entschuldigen wollte für Mutters hartes Managergebahren, haben die nur feixend abgewunken: »Horst, alles ist gut, es war so wahnsinnig witzig und es war so schön zu sehen, wie taff und selbstbewusst deine Mutter war.« Was soll ich sagen. Ja, das war Mutter. Taff, witzig, krawetzig. Einfach in jeder Hinsicht unglaublich.

12

Der Wilde von Rommerskirchen

Ich habe über viele Dinge intensiv nachgedacht, als ich dieses Buch geschrieben habe. Tief in mich hineingehorcht und versucht, Erlebnisse aus meinem Leben neu zu bewerten. Es kamen ja in der Folge von Mutters schwerer Krankheit und Tod so viele Geschichten auf den Tisch, die ich für abgehakt gehalten hatte. Doch in Wirklichkeit hatte ich einfach nicht richtig über sie nachgedacht, dafür hatte mir auch die nötige Lebenserfahrung gefehlt. Die Weisheit und Erfahrung des 54-jährigen Horst unterscheiden sich doch sehr von der des 30-jährigen. Und weil ich begriff, dass unter dem Teppich eine große Menge verdrängter Erlebnisse lagen, denen ich mich besser stellen sollte, bevor sie mich stellen würden, legte ich einfach alles auf den Prüfstand und betrachtete alles aus jeder möglichen Perspektive. Eine unangenehme Sache, weil ich oft entdeckte, dass ich aus Harmoniesucht und Angst vor weiteren seelischen Verletzungen ein Verhalten entwickelt hatte, das mir immer weniger gefiel. Zunehmend hatte ich das Gefühl, dass Horst Lichter ein anderer war als nur der, der so gerne für sein Publikum spielte. Die ewig fröhliche rheinische Frohnatur? Natürlich bin ich das auch sehr gerne, aber ich habe eben auch andere Seiten. Ich kann auch sehr fragil und verletzlich sein. Fröhlichkeit und Traurigkeit halten sich bei mir oft die Waage. Es merkt nur kaum einer, weil ich mich ja seit frühester Kindheit so sehr auf die Rolle des Clowns spezialisiert hatte. Doch irgendwann begann ich mich zu wundern, warum ich eigentlich so oft weinen musste. Schon als Kind weinte ich viel, was sich bis heute nicht geändert hat. Ob traurige Lieder, sentimentale Filme oder eine berührende Geschichte – ich bin nah am Wasser gebaut. Es dauerte lange, bis ich begriff, dass ich da einen großen Berg ungeweinter Tränen abtrage. Und das tut gut. Ich verstehe nicht, wenn Kindern eingetrichtert wird: »Heul nicht, Indianer kennen keinen Schmerz.« Oder wenn auf Beerdigungen das Lob ausgesprochen wird, dass »die Witwe sich aber ganz tapfer zusammengerissen hat«. »Zusammengerissen« – das ist doch schon so ein schreckliches Wort! Ich habe ein Kind verloren, und das war einer der schrecklichsten Momente in meinem Leben. Das gönne ich meinem schlimmsten Feind nicht. Aber noch schlimmer war, dass ich mich entschieden hatte, ganz tapfer zu sein, um allen anderen um mich herum Halt zu geben. Dabei bin ich innerlich unendlich tief gefallen und vor Verzweiflung fast verrückt geworden. Und die Tränen, die ich damals nicht geweint habe, die will und muss ich wohl noch alle loswerden. Darum tut mir jeder leid, der nicht weinen kann. Wenn Gott nicht gewollt hätte, dass wir weinen, dann hätte er uns auch keine Seele geschenkt. Darum sage ich heute: Wenn ihr traurig seid, dann weint! Und wenn ihr fröhlich seid, dann lacht, so laut ihr könnt, und freut euch des wunderbaren Lebens! Ja, das Leben ist bis heute doch gut zu mir gewesen. Aber leicht – leicht war es von Anfang an nicht.

In meiner Schule in Rommerskirchen ging es zu wie an jeder anderen Schule in Deutschland: Die Klasse spaltete sich in viele Gruppierungen auf. Da war die Gruppe der Streber. Die waren natürlich so unbeliebt wie ein rostiger Nagel im Knie. Aber das waren nicht viele, das waren höchstens drei oder vier Kinder. Die wurden natürlich verarscht, in den Mülleimer gesetzt, beim Völkerball als Letztes gewählt und man hat sich nur neben einen von dieser Spezies gesetzt, um irgendwas abzuschreiben. Was gut ging. Deren Hefte wurden nämlich von unserem Lehrer an der Tafel aufgehängt, weil die so schön ordentlich geschrieben waren. Mir waren die Streber egal, ich habe die auch eigentlich gar nicht gehasst, dafür taten sie mir schon fast wieder zu sehr leid. Heute frage ich mich eher, ob die vielleicht nicht glücklicher waren als ich? Die hatten tolle Zeugnisse, vielleicht hatten die ja auch einfach nur Bock, richtig was zu lernen. So wie ich es heutzutage als Erwachsener auch habe. Ich bedauere es sehr, dass ich als Kind so wenig lernen wollte. Die Welt ist so groß und interessant ... ich habe noch viel nachzuholen. Zurück zur Schule: Es gab eine zweite kleine Gruppe, die der angeblich Dicken, Hässlichen und Doofen, die ununterbrochen verarscht, getrieben und malträtiert wurden. Aus heutiger Sicht auch beschämend. Aber wenn einer erst mal seinen Stempel aufgedrückt bekommen hatte, gab es kaum noch eine Chance, aus der Nummer rauszukommen. Wen haben wir noch nicht? Natürlich – die Schönen und Starken. Genauer gesagt, die schönen, starken Jungs und die schönen Mädchen. Klar wie Blümchenkaffee: Die schönen Mädchen waren immer bei den starken Jungs. Dann gab es noch die Unauffälligen, die Normalos sozusagen. Aber was mir schon als Kind bewusst war: Ich wollte zu keiner dieser Gruppen gehören! Natürlich nicht zu den Strebern, dazu fehlte sowieso auch das geistige Vermögen. Ich gehörte nicht zu den Hässlichen und Dicken, obwohl ich weder hübsch noch dünn war. Bei den Schönen und Starken kam ich auch nicht gut an, obwohl ich nicht schwach war. Nein, ich hatte mir eine andere Rolle auserkoren: Ich hatte es mir in der Klassenclown-Ecke bequem gemacht. Der Clown ist neutral, den mögen alle, aber der gehört nirgendwo dazu. Das gefiel mir. Und somit war ich der Clown. Mit allen Vorteilen. Beliebt, beklatscht. Mit allen Nachteilen. Ich hatte keinen richtigen Schulfreund, viele mochten mich zwar, aber nur für eine kurze Zeit. Der Clown ist dann doch zu undurchschaubar, keiner weiß so recht, was der Clown hinter der Maske wirklich denkt. Das reicht nicht für eine Freundschaft. Durch meinen Sonderstatus musste ich mich also nirgendwo fest einordnen. Es reichte, heiter zu sein. Und das wurde die Rolle meines Lebens. Deswegen kann ich bis heute die unterschiedlichsten Menschen aus den verschiedensten Gesellschaftsschichten lieben. Die Ausgestoßenen, die angeblich hässlich, arm oder dumm sind, genauso wie die Erfolgreichen, die von ihren Neidern ausgestoßen werden. Was in Deutschland schnell passieren kann. Erst der Liebling im Aufstieg, dann der Star ... und beim ersten Fehler dann vom Sockel gestoßen. Seelenverwandte findet man überall, Menschen, mit denen du dich irgendwo in die Ecke hockst, was trinkst, erzählst, eine Frikadelle verputzt und Tränen lachst. Oder auch weinst. Deswegen konnte ich auch immer gut raus aus Rommerskirchen, weil ich meine Lieblingsmenschen überall finden kann. Als Mutter dann in Mönchengladbach im Krankenhaus lag und ich wochenlang in Neuss im Hotel wohnte, war ich ab und zu wieder in unserem Dorf. In den langen Nächten, in denen ich oft vor Kummer und Sorgen um Mutter nicht schlafen konnte, kamen viele Erinnerungen zurück.

Unsere Straße in Gill, die war schon schön. Die Menschen dort, die sind ein eigener Schlag. Aber unter diesen Menschen gibt es ein paar, die ich unfassbar lieb hab. Die eine Eigentumswohnung in meinem Herzen haben. Anders kann ich es nicht beschreiben. Ich habe ein großes Hochhaus im Herzen und da gibt es Tageszimmer, Mietwohnungen und da gibt es Eigentumswohnungen. Ein paar Menschen wohnen in diesen Eigentumswohnungen, das heißt, sie sind unkündbar. Mein Freund Peter, den ich sehr lieb habe, mein Riesenkumpel Marcel. Ein echter Freund, den ich zu jeder Uhrzeit anrufen kann, der immer für mich da ist. Freundschaft ist für mich etwas wahnsinnig Kostbares. Viele »Freunde« wiegen Telefonanrufe oder Geschenke auf, sagen, Freundschaften müssten gepflegt werden, aber für mich hat das nichts mit Freundschaft zu tun. Wer in meinem Herzen wohnt, der soll mich nur lieben. Ohne Liebe keine Freundschaft. Ich gebe lieber, als dass ich in einer Freundschaft nehme. Es ist schön, die Heimat mit ein, zwei lieben Freunden zu verbinden, denn gerade in den kleinen Dorfgemeinschaften gibt es viel Neid und Missgunst. Wenn man zum Beispiel kein Vereinsmeier ist, ist man schnell außen vor. Ich hatte es schon allein durch meine Jobs sehr schwer: Schützenverein, Kirmes, die ganzen Dorffeste konnte ich ja nie mitmachen. Wollte ich aber auch gar nicht, wahrscheinlich liegt das an diesem Kindheitserlebnis.

Mama wollte damals unbedingt, dass ich mal beim Schützenverein Karriere mache. Der Einstieg waren die Edelknaben, hier dazuzugehören war praktisch die erste Stufe, die es zu erklimmen galt. Eine ganz dicke Nummer für uns Kinder.

Und was war ich stolz und überglücklich … oh, Hosianna, als ich bei den Edelknaben mitmachen durfte! Da durftest du – oder besser gesagt musstest du – spezielle Strümpfe, Lackschuhe und einen blauen Anzug tragen. Wenn ich mich richtig erinnere. Jedenfalls machte Mutter mich parat und ich sah aus wie der edelste unter den edlen Edelknaben. Ich war so aufgeregt: das erste Mal mit den anderen Edlen im Zug marschieren. Dazugehören. Akzeptiert werden. Oh, hab ich mich gefreut! Ich sah schon die anerkennenden Blicke der großen, wichtigen Jungs. Respekt. Der kleine Horsti ein Edelknabe, guck an! Ich kam zum vereinbarten Treffpunkt, der Kleinste, aber in dem Wissen, nach dem Zug würde ich ein Edelknabe sein. Da war ich also, stolz wie Oskar und erhobenen Hauptes. Und dann, nach einer halben Minute Musterung durch die Großen brach die Hölle los, die schrien mich alle hysterisch an! Ich hatte die falschen Strümpfe an. Ach du Scheiße. Die wollten mich nicht mitgehen lassen, aber es war keine Zeit mehr, um nach Hause zu gehen und die Strümpfe zu wechseln. Da haben sie mich in der Mitte des Edelknabenzugs versteckt, damit mich keiner sehen konnte, und mich nur verarscht. Ich war fertig mit der Welt.

Ich weiß noch, dass ich nach dem Zug direkt nach Hause bin. Mutter war ebenfalls todtraurig über das Missgeschick und versuchte mich zu trösten: »Jung', ist doch nicht schlimm, da kannst du doch trotzdem mitgehen. Das nächste Mal ziehen wir die richtigen Socken an.« Aber das wollte ich nicht, für mich war der Drop gelutscht. Und zwar für immer und ewig.

Mein Vater und meine Mutter haben da auch nicht großartig insistiert, die waren selber keine Vereinsmeier. Die beiden tranken sehr wenig Alkohol. Vater hat mal ein Bierchen gezischt, war bestimmt auch mal betrunken, aber höchstens alle Jubeljahre einmal. Mutter hat auch mal ein Weinchen oder ein Bierchen mitgetrunken, wenn sie mit ihren Karnevalsweibern unterwegs war, aber danach ging es ihr immer so schlecht, dass sie wochenlang gesagt hat, »nie wieder Alkohol«. Außerdem hatten meine Eltern ja auch jahrelang genug Kummer mit Oma, Opa und meinem Onkel, die leider nur ins Glas geguckt haben.

Neben dem Mist mit den Edelknaben erinnere ich mich sehr gerne an die schönen Sommer, wie wir hinter dem Bahndamm spielten. An den Park dahinter, wo wir Büdchen bauten. Und die absoluten Höhepunkte waren unsere seltenen, aber herrlichen Urlaube. Rund alle zwei Jahre fuhren wir mit unserem Goggomobil oder dem Zug in die Eifel und besuchten Tante Gerda. Meist sind wir privat untergekommen, weil wir kein Geld für ein Ferienhotel oder Appartement hatten. War aber auch gar nicht schlimm, was man nicht kennt, kann man ja auch nicht vermissen. Und das war schön in der Eifel, mein Gott habe ich diese Gegend geliebt! Das war für mich die schöne, große und aufregende Welt. Da lief ich stundenlang allein durch den Wald und freute mich wie ein Schnitzel. Auf Bäume klettern, Tiere beobachten, Stöcke sammeln und schnitzen … alles das machen, was kleine Jungs so lieben. Ich war mir selbst genug und brauchte nur ein Bütterken, einen Apfel und mein Fahrtenmesser. Herrlich! Die Eifel-Urlaube werde ich nie vergessen. Ich habe mir damals oft gesagt: Wenn ich groß bin, dann will ich in die Eifel.

Wir sind ja nie großartig sonst irgendwo hingekommen. Dreimal im Jahr fuhren wir noch mit dem Omnibus nach Köln. Dann sind wir immer über die Hohe Straße gelaufen, das war natürlich unfassbar, traumhaft schön. Und in meinen

Kindheitserinnerungen war das damals die schönste Straße der Welt. Tolle Geschäfte, alles blitzte, alles so sauber und edel. Sehr beeindruckend – andererseits kannte ich auch keine anderen großen Städte. Am allerallerbeeindruckendsten waren aber: Autos und Mopeds. Vor allem die Mopeds! Die versprachen Freiheit, Rebellion, Geschwindigkeit. Das kann man sich heute gar nicht mehr vorstellen, aber wer eine Ahnung davon bekommen möchte, der schaut sich mal den Film »Der Wilde« mit Marlon Brando an. Ich konnte es jedenfalls kaum erwarten, bis ich endlich 15 wurde, weil ich dann ein Mofa bekommen sollte. Und ich konnte es erst recht nicht erwarten, bis ich endlich 16 wurde und mir ein Moped kaufen konnte. Auch, um meinem damaligen Kindheitsidol näherzukommen, meinem Freund Peter. Der quasi immer schon Moped fuhr und dann später mit dem Motorrad sogar bis nach Afrika. Der Teufelskerl! Als wir coolen Jungs aus der Gegend dann alle ein Moped hatten, fühlten wir uns fast wie so eine Art Rockerclub. Wir trafen uns in Jugendheimen, schraubten und wienerten gemeinsam an unseren Maschinen und hatten ordentlich Spaß. Das waren schöne Momente. Mit 14 war ich schon weg in Bergheim, um meine Kochlehre zu beginnen. Das bedeutete malochen, malochen – aber vor allem auch malochen. Ich hatte nur einen Tag in der Woche frei. Immer Mittwoch. Und an dem eigentlich freien Tag habe ich stundenlang gearbeitet, für ein bisschen mehr Kohle, für das Moped. Hab' in der Eisdiele in Bergheim geputzt oder gekellnert. Wenn es später wurde, musste ich nach der Schicht schnurstracks nach Hause gehen. Um 21 Uhr war nämlich Zapfenstreich, da waren die 70er gar nicht so locker. Du durftest bis nach Mitternacht schuften, ohne dass ein Erwachsener was sagte. Aber abends rumlungern? Pustekuchen!

Hatte ich mal wirklich frei, war ich gezwungenermaßen um 21 Uhr zu Hause, keine Diskussion. So, und nach der Lehre war wieder nur Arbeit angesagt. Als Koch hat man so gut wie kein Wochenende frei, keine Feiertage frei. Auch später, Ende der 70er, als ich in Köln arbeitete, war ich ständig unterwegs, wie mein Vater damals. Ich hatte keine Freizeit, erlebte nichts außer Arbeit und ein paar Stunden zu Hause. Das war so. Bis ich nicht mehr für andere malochen wollte. Nur noch für mich und meine Familie. Mein eigener Herr sein – was Papa nie geschafft hat.

Dass ich meinen geliebten Laden, meine »Oldiethek« in Rommerskirchen fand, war ein wunderbarer Zufall. Einfach Zufall. Ich habe den da nie gesucht. Und er war lange Jahre mein ganzes Glück. Unser Ziel war überschaubar, einfach und bodenständig. Wir haben darauf hingearbeitet, dass wir irgendwann, vielleicht mit 60, die Schulden abbezahlt haben, wie jede andere Arbeiterfamilie auch. Dann noch ein bisschen was sparen und den Betrieb mit 65 verkaufen … Das sollte dann unsere Rente sein. Die Vorstellung war, dass wir in Rommerskirchen unser ganzes Leben verbringen würden. So wäre es wahrscheinlich auch gekommen, wenn ich nicht das unfassbare Glück gehabt hätte, fürs Fernsehen entdeckt zu werden. Was darauf folgte, überraschte mich total und krempelte mein Leben um.

Je erfolgreicher ich wurde, desto mehr stellte ich fest, dass sich zum Glück des Erfolges auch schnell etwas anderes einstellte: der Neid anderer.

Es heißt, dass sich die meisten Menschen extrem verändern, sobald sie Erfolg haben und viel Geld verdienen. Ruhm und der Dagobert-Duck-Geldspeicher machten aus einem einfachen Horst aus Rommerskirchen angeblich einen schnöseligen Angeber. Interessant. Ich dachte immer, es sei genau umgekehrt. Nicht ich veränderte mich. Mein Umfeld veränderte sich – extrem. Man begegnete mir anders als früher. Wenn ich zu Anfang der »Oldiethek« gefragt habe: »Können mir morgen mal drei Mann helfen, ich habe da eine verrückte Sache vor … ich will zwei Motorräder an den Baum hängen!«, dann sagten ein paar Kumpels zu mir: »Was 'ne geile, kranke Idee, da mache ich mit.« Die fanden meinen Laden verrückt, man hat über mich und meine kuriosen Ideen gelacht, positiv gelacht. Ich habe mir in der Rolle des bekloppten Außenseiters gefallen, weil ich mich so nach all den Jahren schwerer Arbeit und Krankheit endlich ausleben konnte. Nur: Je mehr ich im Fernsehen zu sehen war, desto öfter hieß es: »Was zahlst du denn dafür?« Plötzlich drehte sich alles nur noch um meine Kohle und was ich angeblich damit machte. Da gab es Menschen, die meinten, »der lässt uns im Laden auf Sperrmüll-Möbeln sitzen und vor der Tür steht ein dicker Ferrari!« Aber damit muss man klarkommen, das ist eben so. Licht, Schatten. Tag, Nacht. Regen, Sonne. Das ist das Leben, Leute!

Was wir alles erlebten in den Jahren, als wir den Laden hatten … Wir wurden beim Amt angeschissen, wegen Ruhestörung oder weil wir zu wenig Parkplätze hätten. Autos meiner Gäste, die in Nebenstraßen geparkt hatten, wurden beschädigt. Ein geschenkter Kuchen, der per Post kam, war innen voller stinkender Fischabfälle. Haben wir Gott sei Dank noch rechtzeitig bemerkt. Ich habe mich davon nicht beirren lassen.

Ich hatte meine eigene Philosophie: Wenn ich einen Betrieb im Ort habe, dann kaufe ich auch in der Region und im Ort ein. Das heißt also, mein Elektriker war der aus dem Ort, auch wenn er teurer war, aber den konnte ich dafür immer anrufen. Ein Wahnsinnstyp, eine Geschichte habe ich ihm nie vergessen. Wir haben ja früher im Laden jedes Formel-1-Rennen geguckt. Ich war ja Formel-1-süchtig. Und alle, die das wussten und mich mochten, versammelten sich in der »Oldiethek«. Da saßen also 40 Mann vor dem Fernseher und fieberten mit. Das war ganz toll. Bei den Nachtrennen, da kamen die Beklopptesten teilweise sogar im Schlafanzug, herrlich! Ich habe immer ein lecker Buffet aufgetischt und dann waren wir alle überglücklich mit einem lecker Bierchen vor meinem winzigen Fernseher.

Eines Tages musste ich irgendwann zu meinem Elektriker hin, irgendwas kaufen, eine Kleinigkeit … da sah ich im Laden diesen riesigen Monsterfernseher! Ich war fertig und stand vor dem Ding wie 'n Kind vorm Gummibärchenbaum. Das Teil war so groß, wenn mir einer gesagt hätte, dass man den ins Grundbuch eintragen muss … ich hätte es nicht bezweifelt. Das Minikino sollte damals – wenn ich es richtig in Erinnerung hatte – satte sechs Mille kosten! Geld, das ich natürlich nicht wirklich übrig hatte. Was tun? Und ich stehe vor dem Fernseher und denke: Boah, darauf Formel 1 gucken … das wär's! Da siehst du einen Pickel bei Michael Schumacher im Gesicht, so geil ist der. Dat Ding muss ran. Ich schnappte mir meinen Elektro-Mann und hab' ihm folgenden Deal vorgeschlagen: »Du, ich kauf das, aber dann muss das auch am Samstag zum Qualifying stehen. Mit Satellitenschüssel, mit Receiver, mit allem Drum und Dran. Und dafür musst du deine Weihnachtsfeier bei mir machen, damit ich irgendwie die Kohle wieder reinkriege.« Und was macht der gute Mann? Grinst und sagt: »Abgemacht, Hotte, wir haben einen Deal.« Freitagnachmittag rückten schon seine Monteure an, haben die Satellitenschüssel aufs Dach gedübelt und den Receiver angeklemmt. Und dieser Wahnsinnige hat sofort für seine 40 Leute eine Weihnachtsfeier mit allem Schnickschnack gebucht.

Ich hab dann vor dem nächsten Rennen eine Decke über den Fernseher gelegt und den kleinen obendrauf gestellt. Dann kamen meine ganzen Jungs zum Formel-1-Gucken. Während der Vorberichterstattung habe ich unauffällig den Stecker gezogen und dann erschrocken gerufen: »Kinders, der Fernseher ist kaputt! Wat 'ne Scheiße!« Und alle wollten schon tief enttäuscht gehen und ließen die Köpfe wie Trauerweiden hängen. In dem Aufbruchstumult habe ich die andere Fernbedienung genommen und den neuen Fernseher unter der Decke eingeschaltet. Erst hörte man nur den Ton. Ich rief: »Ton ist schon wieder da. Bleibt, bleibt!« Dann habe ich die Decke weggenommen und ein ohrenbetäubender Jubel brach aus. Schulterklopfen. Begeisterung. Tränen des Glücks. Alles richtig gemacht! Trotz neuen Kredits. Solche Leute wie dieser Elektriker aus Rommerskirchen, die haben einen die blöden Geschichten immer vergessen lassen. Wir hatten eben auch ganz tolle Leute um uns herum.

Wenn übrigens einige fragen, warum ich diesen meinen geliebten Laden aufgegeben habe, dann will ich mich nicht vor der unbequemen Antwort drücken. Also: Was der »Oldiethek« wirklich das Genick gebrochen hat, war letztendlich eine Melange aus vielen Entscheidungen, die ich treffen musste – und die sich gegenseitig beeinflusst haben. Ich bekam mehr und mehr Drehtage im Fernsehen und konnte dementsprechend weniger hinter meinem Kohleofen stehen. Erst habe ich nach Kompromissen gesucht, zum Beispiel den Laden einfach an weniger Tagen zu öffnen. Aber es hat sich für mich überhaupt nicht gut angefühlt, ich hatte Schuldgefühle. Meinen Gästen gegenüber, weil mir die Karriere wichtiger war. Mir gegenüber, weil ich den Laden ja auch über alles geliebt habe. Der ist ja wie ein eigenes Kind mitgewachsen und hat sich prächtig entwickelt. Der Laden lief, der brummte. Dann bekam ich wieder mal eine Brandschau. Und irgendwas stimmte mit der Be-und Entlüftung nicht. Kosten der Umbaumaßnahmen: ca. 75 000 Euro, damit der Laden halt weitergehen durfte. Da habe ich das erste Mal nach langer Zeit wieder resigniert gedacht, irgendwas wird immer sein. Halbe Kraft reicht nicht für einen Laden, in dem der Chef die One-Man-Show ist. Wenn du nicht Vollgas gibst, fährst du deinen eigenen Ansprüchen hinterher. All diese Zweifel haben mich unsicher gemacht, was den Laden anging. Ich wurde sehr dünnhäutig.

Und dann kamen immer öfter Gäste aus der Umgebung mit Kommentaren wie: »Sag mal, Lichter, jetzt hast du den Laden schon 18 Jahre hier. Jetzt will ich einmal essen kommen und du hast keinen Platz für mich?« Die habe ich zwar souverän gekontert mit: »Du, ich habe 18 Jahre auf dich gewartet. Und die ersten fünf Jahre war keiner von euch da. Das tut mir jetzt echt leid.« Aber glücklich hat mich das auch nicht gemacht. Das Glück ging im wahrsten Sinne des Wortes zu Ende. Am Anfang hatte ich den Laden sieben Tage in der Woche auf. Dann irgendwann sechs Tage die Woche – und am siebten Tag haben wir Papiere gemacht. Dann kam das Fernsehen, da waren es nur noch fünf Tage. Die anderen zwei Tage habe ich gedreht oder Theater gemacht. Das ging eine Zeit lang gut, aber ich gelangte dann schnell ans Ende meiner Kräfte. Nächster Schritt. Wir machten das Restaurant nur noch vier Tage auf, dann hatte ich wenigstens mal einen Tag mal frei.

Aber der Erfolg wuchs mit und fraß den freien Tag wieder auf. Ich hätte theoretisch auch Köche anheuern können, wie es ein paar meiner berühmten Fernsehkollegen vorschlugen: »Stell da ein paar Köche rein und dann machst du, wenn du ab und zu mal da bist, nur noch abends den Grüßonkel. Die Hütte ist doch sowieso voll. Du musst doch nicht mehr selber hinter dem ollen Kohleofen stehen.« Aber nix da, so wollte ich meinen Laden nicht führen. Das verstieß gegen meine Prinzipien. Und die waren eisenhart: Ich war selbst im Laden und begrüßte jeden mit Handschlag. Ich erzählte jedem Gast die Karte, ich kochte alles selbst, ich verabschiedete jeden persönlich. Das war mein Erfolgsrezept und meine persönliche Überzeugung und Vorstellung, wie mein Restaurant sein sollte. Klar, es gibt tausend Köche, die besser kochen können als ich. Aber es gibt nur eine »Oldiethek« und nur einen Horst Lichter. Also kam die Variante »Grüßonkel« überhaupt nicht in Frage. Deswegen habe ich gesagt: »Okay, wenn wir uns das erlauben können, dann machen wir eben drei Tage die Woche auf und vier Tage zu.« Klar, was passierte. Ich malochte wieder wie ein Stier, sieben Tage die Woche ohne einen Tag frei. Wurde mal ein Tag frei, haben wir das Restaurant dann doch wieder aufgemacht. Weil die Menschen ja anriefen. Was heißt hier Menschen, das waren tolle Leute, liebe Stammgäste! Wir hatten ja unglaublich viele Stammgäste, die mit uns verwachsen waren. Über 1000 Stammgäste, die regelmäßig wiederkamen! Die konnte ich doch nicht enttäuschen, die Vorstellung brach mir das Herz. Aber sieben Tage unter Volldampf zu stehen und nur noch zu arbeiten würde mich auch das Herz kosten. Ich realisierte irgendwann voller Wehmut, dass ich das Tischtuch nicht an vier Ecken gleichzeitig anpacken konnte. »Lass uns den Laden zumachen … oder abgeben, wie auch immer«, sagte ich zu Nada. »Wir kommen doch jetzt auch anders klar.« Ich war damals Gott sei Dank schon ohne finanzielle Sorgen und ging langsam der Schuldenfreiheit entgegen. Aber wir taten uns mit dem Zumachen sehr schwer.

Und dann kam Nada auf die Idee und sagte: »Horst, dann machen wir es noch einmal ganz anders. Dann machen wir ein Café aus der ›Oldiethek‹! Dann kochst du vorne nicht mehr, kannst dich zurückziehen und ich übernehme das Ruder mit lecker Kaffee und Kuchen.« Ich war glücklich, aber ich habe sie auch gewarnt: »Süße, mach nicht den gleichen Fehler wie ich! Verlier dich nicht in der Arbeit! Mach dir ein paar Mädels so fit, dass sie den Kuchen backen, damit du ohne Stress den Laden repräsentieren kannst.« Das war natürlich ein frommer Wunsch. Meine Frau und ich, wir sind uns extrem ähnlich. Wir sind beide Steinböcke, deswegen knallen die Geweihe immer mal aneinander. Sturheit ist unsere DNA. Es kam, wie es kommen musste. Sie hat trotz Mädels und Aushilfen am meisten geknüppelt und malocht. Nada hat das vier Jahre durchgezogen, hat sich eine ganz neue Kundschaft aufgebaut, eine ganz fabelhafte Leistung war das. Leider: Der Betrieb war zu groß, er war ausgelegt auf ein Restaurant, das jeden Abend voll belegt war. Den Umsatz kann man nicht mit einem Cafébetrieb reinbücken, der nur zwei Tage die Woche läuft. Der Laden trug nicht einmal die monatlichen Kosten.

Aber Nada war der festen Überzeugung, wir könnten nicht endgültig zumachen – was sollten denn bloß die ganzen Gäste und Leute denken?

Ich sagte: »Gegenfrage, mein Engel – wer denkt an uns?« Und wieder diskutierten wir nächtelang, bis ich gesagt habe: »Jetzt ist Feierabend! Ich kann nicht mehr, ich will nicht mehr. Es geht an die Substanz.« Mittlerweile konnte ich auch mein einstmals geliebtes Paradies nicht mehr betreten, ohne nur noch Ärger und Probleme zu sehen. Wir konnten es uns und unseren Gästen nicht mehr recht machen: »Herr Lichter, warum sind Sie nie da? Ihre arme Frau! Sie haben es wohl nicht mehr nötig.« Und ich verstand die Leute, trotz der Vorwürfe.

Heute weiß ich, dass man seine ganze Kraft und Hingabe nicht aufteilen sollte. Abschied und Trennung schmerzen. Mutters Tod führte mir vor Augen, warum ein großer Schmerz nicht unnötig in die Länge gezogen werden sollte. Auch nicht aus Liebe, ach, schon gar nicht aus Liebe. Das lange Sterben meines geliebten Ladens hat viele Schmerzen verursacht, die ich besser vermieden hätte. Wir machten also den Laden zu und ab dem Zeitpunkt wollte ich nur noch weg. Heute kann ich endlich erfassen, was in mir vorging: Die Wunde war groß, und damit sie in Frieden verheilen konnte, musste ich mich auch räumlich trennen. Ich wollte, nein, ich konnte nicht länger in Rommerskirchen bleiben. Jedes Mal, wenn ich »Jenseits von Afrika« sehe, dann liebe ich es, wenn Meryl Streep als Tania Blixen melancholisch sagt: »Ich hatte eine Farm in Afrika.« Und ich würde gern voller Liebe, Melancholie und Erinnerungen sagen: »Ich hatte ein Restaurant in Rommerskirchen …!«

Die Entscheidung war gefallen, aber wo die Reise hingehen sollte, wussten wir noch nicht. Bis ich einen Menschen in mein Herz schloss, der mit seiner Familie in einem verträumten Dorf in Baden-Württemberg wohnte. Und wie schön die da lebten! Wir waren so begeistert. Die Landschaft, das Essen, die Natur. Und wir wollten weg, wir hatten schon mehrere Regionen in Betracht gezogen: die Eifel oder das

Sauerland. Die Eifel geisterte mir ja seit meiner Kindheit durch den Kopf. Doch nun war ich älter und begriff, dass die Eifel ein Synonym für mich gewesen war – für kleine Dörfer mit sehr hart arbeitenden Menschen. Ehrlichen, wortkargen Menschen. Aber wenn du da Freunde findest, dann hast du sie für immer. Tannenwälder, Flüsse, schöne Straßen mit herrlichen Kurven für mein Moped und mich. Kleine Dorfkneipen, die Forellen aus dem eigenen Teich zubereiten. Tellergroße Schnitzel aus der Pfanne, von glücklichen Schweinen. Ohne verfluchte Chemiekeulen und grausame Mast. All das war für mich die Eifel. Romantisch, schön, ein Geschmack von Kindheit. Einfach Friede.

Nach einem unserer vielen Besuche bei unseren Freunden in Baden-Württemberg fiel bei mir der Groschen: »Schatz, ich glaube, wir haben unsere Eifel gefunden.« Natürlich gab es vieles zu bedenken. Wir hatten unsere Familie, Freunde, unsere ganzen sozialen Verbindungen in Rommerskirchen. Mutter, die Kinder. Und alle wären dann 500 Kilometer weit weg. Können wir das machen, halten wir das aus? Mutter war ganz dagegen, so sehr, wie sie am Anfang auch gegen den Laden war: »Das kannst du nicht aufgeben, Junge! Wer weiß, wann das aufhört mit dem Fernsehen! Du kannst das hier nicht aufgeben und alle Zelte abbrechen!«

Das war überhaupt der allgemeine Tenor. »Das kannst du nicht machen, das bist doch du.« Keiner hat geglaubt, dass ich den Laden aufgeben und wegziehen kann. Aber ich wusste, ich kann es.

Ich hab' nach den zwei Schlaganfällen gesagt, ich fange mit so einem kleinen, verrückten Laden an. Hat mir keiner geglaubt. Als ich wirklich mit dem Laden anfing, haben alle gesagt: »Der ist krank!« Als ich mit dem Laden aufhörte: »Der ist verrückt.« Als ich gesagt habe, dass wir wegziehen: »Kein Rheinländer verlässt seine Heimat. Das kannst du nicht, du wirst dran kaputtgehen.« Auch das ging. Ich habe drei Jahre lang erzählt, dass ich auch irgendwann mit »Lafer!Lichter!Lecker!« aufhören werde. »Nie!«, schallte es mir aus allen Kehlen entgegen. Auch das habe ich getan. Aber das ist ein anderes Kapitel.

Ich habe in meinem Leben immer das durchgezogen, wofür ich mich nach reiflicher Überlegung entschieden hatte. Ich bin es mittlerweile gewohnt, dass man mir nicht glaubt. Früher hatte ich mich noch ein wenig davor gefürchtet. Aber ich habe alles durchgesetzt mit allen Konsequenzen, die ich zuvor durchgespielt hatte.

Wir haben in unserer neuen Heimat ein wunderbares, altes Haus, eines, wie ich es mir schon lange erträumt hatte, am Rand eines Waldes. Wir wohnen ziemlich alleine und trotzdem bin ich in nur fünf Minuten zu Fuß im Dorf zum Brötchenholen. Da stimmt alles. Wir leben da unheimlich gerne.

13

Johann, mein Johann

Heißt es nicht immer: »Große Ereignisse werfen ihre Schatten voraus?« Vielleicht ist das so, ganz sicher aber hat alles seine Zeit. So war es auch unvermeidlich, dass »Lafer!Lichter!Lecker!« irgendwann zu Ende gehen würde. Wenn man den Höhepunkt überschritten hat, wenn man das Gefühl hat, es wiederholt sich nur noch alles – dann soll man gehen. Zum anderen, seit Mutters Tod konnte ich nicht mehr so weitermachen. Ich war wohl schon immer dünnhäutig, aber heute möchte ich das nicht mehr überspielen. Am Set von »Lafer!Lichter!Lecker!« stellte ich bald fest, dass mir die große Leichtigkeit abhandengekommen war.

Nicht nur ich habe mich verändert, auch Johann. Wer sich nicht verändert, bleibt stehen. Stillstand ist Rückschritt. Ich glaube zu fühlen, dass Johann und ich … wir haben uns einfach auseinandergelebt, auseinandergearbeitet. Aneinander abgeschliffen und verbraucht. So wie ein guter Trainer und eine gute Mannschaft nicht für immer zusammenbleiben. Man geht auseinander, ohne Schuldzuweisungen, es gibt keine Schuld, keinen Schuldigen. Jeder von uns hat in den letzten zehn Jahren sein Scherflein dazu beigetragen, dass die Magie zwischen uns verpufft ist. Jeder hat genug Witze über den anderen gemacht. Es ist wie mit einem Guthabenkonto. Jeder Witz über Johanns Zähne und seine hyperkorrekte Möhrenflüsterei, jeder Spott über meine Albernheit und meine Nicht-Kochkünste wurden abgebucht. Bis letztendlich kein Guthaben mehr drauf war. Darum ist es wichtig, den richtigen Zeitpunkt zu finden, um auseinanderzugehen – bevor man den Respekt voreinander verliert. Ohne Respekt und Achtung voreinander kann man eine Sendung wie »Lafer!Lichter!Lecker!« nicht gut machen. Ich habe meinen Teil dazu beigetragen, dass dem guten Johann so mancher Spaß vergangen ist. Das tut mir leid, ich kann es leider nicht rückgängig machen. Aber ich habe auch genug eingesteckt, selbst wenn ich es nach außen oft weggelacht habe. Und damit wir uns nicht falsch verstehen, ihr da draußen: Ich sage auch an dieser Stelle ganz klar, dass ich wahnsinnig gerne mit Johann Lafer diese Sendung gemacht habe! Mit diesem professionellen Spitzenkoch, diesem Virtuosen des Kochlöffels, von dem ich so wahnsinnig viel gelernt habe. Danke, Johann, danke für die gute Show über all die Jahre! Mir war immer klar, dass es eines Tages vorbei sein wird. Dass diese Entscheidung in einer Zeit fiel, in der ich jeden Stein in meinem Leben angehoben und von allen Seiten betrachtet habe, wird dem einen oder anderen Menschen etwas ungerecht erscheinen. Das mag berechtigt sein, aber so ist nun mal das Leben: Et kütt, wie et kütt. Und der Krug geht so lange zum Brunnen, bis er bricht. Manchmal bricht er auch gar nicht. Ich fand allerdings sehr erschreckend, mit welcher Vehemenz einige Zeitungen versucht haben, den Krug zu zerschmettern. Konkret: Vor gar nicht langer Zeit saß ich morgens gut gelaunt bei »Volle Kanne«, dieser netten und informativen Vormittagssendung im ZDF. Ich war richtig fröhlich und sprach mit Begeisterung über mein Kochbuch »Die Lust am Kochen! Da ist sie wieder!«. Ein Buch, das mir wirklich sehr am Herzen liegt. Relativ unvermittelt fragte mich die Moderatorin Andrea Ballschuh, eine wirklich zauberhafte Person, wie es denn meinem Freund Johann Lafer so ginge … und ob unsere Freundschaft »über die gemeinsame Sendung hinausgeht?«. Ich antwortete ihr wahrheitsgemäß: »Johann Lafer ist nicht mein Freund.« Ich habe ihr erklärt, was ich unter einem Freund verstehe. Denn »Freund«, das ist ein sehr großes Wort für mich. Ich glaube, man hat im Leben nur ganz wenige Freunde, wirklich echte Freunde. Deswegen muss man sehr gut überlegen, wen man mit diesem Wort und seinem ganzen Herzen beschenkt. Johann und ich, wir sind befreundet. *Das* ist was anderes! Ich sang ein Loblied auf Johanns Kochkünste – und das war keine Schleimerei. Das sind Tatsachen, denn Johann ist ein Wahnsinnskoch und ein sehr professioneller Arbeitskollege. Ich sagte Frau Ballschuh, dass ich gerne mal so kochen können würde wie er, denn wenn er was auf den Teller legt, ist es ein Gemälde und ein absoluter Genuss! Bei mir sieht es immer so aus, als wäre auf dem Teller der Farbtopf umgefallen. Ein Kuddelmuddel. Lecker, aber chaotisch. All diese Dinge erzählte ich locker fröhlich aus der Lamäng, wie immer. Nach der Sendung vergaß ich völlig zu Recht, was ich gesagt hatte, weil es in meinen Augen ja auch nichts Unerhörtes oder Beleidigendes enthielt. Im Gegenteil, ich hatte es gegenüber Johann nicht an Achtung fehlen lassen. Wir waren befreundet, aber nach meiner Definition keine Freunde. Ein paar Tage später war ich doch sehr erstaunt – besser gesagt, ich fiel aus allen Wolken –, was die Geschichtenerfinder von der Regenbogenpresse aus meiner Aussage gemacht hatten. Eine drei Seiten lange Märchenstory inklusive Titelblatt: Alles Lüge – Horst Lichter packt aus! Ich dachte nur: »Was ist das denn für ein Mist?«, und habe den Unfug natürlich gar nicht gelesen. Zeitverschwendung. Als ich schon gar nicht mehr an den Lügenkäse gedacht habe, bekam ich einen besorgten und gleichzeitig erregten Anruf von Johann: »Hallo, Horst, hast du das gelesen? In der Zeitung stand, dass wir verfeindet sind, dass wir Krach haben und, und, und …!« Ich fiel aus allen Wolken: »Johann, wo steht das denn? Das ist doch Quark mit Soße, das habe ich nie gesagt!« Aber Johann ließ sich gar nicht beruhigen. Das stünde alles im »Goldenen Quatsch« oder wie die bedruckte Küchenrolle da heißt. Ich ging dann doch zum Kiosk, um mir das Käseblatt zu holen. Und tatsächlich: drei Seiten, mit Fotos aus den Sendungen von mir und Johann, Arm in Arm, und ein langer Artikel mit der Botschaft: »War das alles nur eine Lüge?« Ich war platt. Aus einer differenzierten, ehrlichen Aussage, in der ich klargemacht hatte, was ich unter Freundschaft verstehe, wurde so eine miese erfundene Geschichte. Hatte ich gesagt, dass Johann Lafer ein Blödmann oder ein ganz übler Vogel ist? Nein, alles, was ich gesagt hatte, war: »Johann ist nicht mein Freund«, mit Betonung auf »Freund«. Ich sage es noch mal: Mit Johann verbindet mich viel, aber echte Freunde, davon hat man im Leben mit ganz viel Glück einen oder zwei. Wenn das ausgerechnet ein Arbeitskollege wäre, das wäre ein noch größeres Glück. Dass Johann so entsetzt darüber war, habe ich anfangs überhaupt nicht verstanden. Aber dann dämmerte es mir langsam. Er ist – verständlicherweise – sehr auf sein Image bedacht. Und auf einmal tat es mir leid.

Hier spielt ja noch viel mehr mit rein: Johann und ich, wir werden von der Öffentlichkeit als »allerbeste Freunde« wahrgenommen. Leider verwechseln die Leute eine Fernsehsendung, eine Unterhaltungsshow, mit der Realität. Das Wussow-Professor-Brinkmann-Schwarzwaldklinik-Syndrom! Da dachten die Leute auch, der Wussow würde ihnen auf der Straße die Hühneraugen behandeln. Oder in unserem Fall, dass Johann und ich uns wie zwei allerbeste Freunde Hotelzimmer und Zahnbürste teilen. Nein, nein, nein. Es ist eine Show! Wir haben nie gesagt, dass wir die besten Freunde sind. Ich nicht. Und Johann selbst hatte auch nie etwas anderes gesagt. Beziehungsweise nicht »nicht« gesagt. Im Gegenteil. Ich erinnere mich, wie Johann mal zu Gast bei »TV total« mit Stefan Raab war – das hatte ich mal im Hotel beim Zappen gesehen, bestimmt schon über zwei Jahre her. Raab alberte rum, fragte Johann »dies und das« und kam natürlich irgendwann auch auf »Lafer!Lichter!Lecker!« zu sprechen. Da fragte er doch meinen Kollegen verschwörerisch, ob der Lichter ihm nicht manchmal fürchterlich auf den Sack gehe? Gott sei Dank haben das die Schreiberlinge der Regenbogenpresse damals nicht mitbekommen, dass Johann gar nicht darauf geantwortet hatte. Sondern nur grinsend in die Kamera geschaut hat. Wer weiß, was sie ihm sonst alles in den Mund gelegt hätten.

Ich arbeite ja selbst schon unglaublich viel und hart, aber Johann Lafer zu sein, Kinders, das wäre mir zu anstrengend: Fernsehen, Restaurant, Hotel, Werbung, Bücher, tausend eigene Produkte – der Mann schuftet wie ein Berserker, den müsste es eigentlich doppelt geben. Vielleicht empfindet er es aber gar nicht so heftig, wie ich mir das vorstelle, jeder hat ja seine eigene Schlagzahl.

Jedenfalls hatte ich in der letzten Zeit oft das Gefühl, dass mein Johann nicht mehr der alte Johann ist. Oder hatte ich mich verändert? Klar, wenn wir uns zu Dreharbeiten getroffen haben, waren ja immer ein paar Monate Zeit vergangen, in denen wir uns nicht gesehen hatten. Da mussten wir auch erst wieder zueinanderfinden.

Oft trafen wir uns vor der Aufzeichnung von »Lafer!Lichter!Lecker« in unserem kleinen Raum. Da konnte es zum Beispiel vorkommen, dass Johann mich fragte: »Horst, wie geht es dir? Wie ist es dir ergangen?« Ich erzählte dann, was alles so passiert war. Mittendrin bimmelte oder summte meistens eines seiner Handys, und während ich noch erzählte, holte Johann seine zwei Handys raus. Ich habe mich dann gefragt, was er wohl noch von meinem Monolog mitbekommt. Aber das Business fordert seinen Tribut, und um ehrlich zu sein, ich war bestimmt auch nicht immer bei der Sache, wenn Johann was erzählt hat.

Als wir angefangen hatten mit der Sendung, da waren wir einfach jünger und unbekümmert. Klar muss man ackern, um nach oben zu kommen. Doch wenn man oben ist, dann hört das Ackern und Malochen nicht auf. Im Gegenteil: Je berühmter man wird, desto mehr Arbeit und Druck gibt es. Da noch ein Auftritt, hier noch ein neues Produkt. Man steht plötzlich in der Öffentlichkeit, alle Augen auf einen gerichtet, Fehler darf man sich dann nicht mehr erlauben, das schadet dem Image, das zerstört den Marktwert. Wenn man das erst mal merkt, ist man oft schon mittendrin im Hamsterrad. Auszusteigen ist gefährlich, weil es sich so schnell dreht. Weil man viel verlieren kann.

Manche wollen auch immer der beste Hamster sein, anderen reicht es schon, irgendwie mitzustrampeln. Erfolg ist schon was Feines, er macht natürlich auch glücklich. Gerade dann, wenn man seine Sache liebt und in ihr aufgeht. Die Schattenseite ist, dass das Privatleben oft ganz schön zurückstecken muss. Man will allen gerecht werden, aber wenn man ehrlich ist, schafft man das nicht wirklich.

Ich wurde sehr egoistisch, weil ich meine beruflichen Ziele erreichen wollte. War kaum noch zu Hause, die Beziehung zu meiner Süßen litt heftig unter meiner Arbeitswut und meine Gesundheit auch. Wer sehr erfolgreich ist, ist oft auch zerrissen, unausgeglichen, und ich habe diese Unausgeglichenheit auch oft mit ins TV-Studio geschleppt. Sie verschwindet ja nicht einfach, nur weil man an einem anderen Ort ist.

Johann und ich sind so verschieden wie Äpfel und Birnen. Glühbirnen. Wahrscheinlich haben wir deshalb geschlagene zehn Jahre eng zusammenarbeiten können. Über die Jahre haben wir unsere Witze gemacht, gefrotzelt, aber auch ein paar Geschichten miteinander erlebt, die wir lustig rübergebracht haben, die ich aber gar nicht als so witzig empfunden habe. Und er vermutlich auch nicht. Witzchen, über die wir besser geredet hätten. Was habe ich nicht alles gesagt, was nach zehn Jahren bestimmt nur noch schrecklich nervt. All die Witze über Johann, den Gefühlslegastheniker, der mit Gemüse redet … der 32 Zähne oben hat und einen Apfel durch 'nen Tennisschläger essen kann. Und Johann hat sich ja auch mit Späßen auf meine Kosten nicht lumpen lassen. Das ist ja nix Neues, das konnte man ja auch zehn Jahre lang öffentlich sehen. Als ich mal richtig »Bauch« hatte, hat Johann halt gesagt: »Mein Horst ist schwanger von mir!« Natürlich hat er mehr als einmal in der Sendung erzählt, dass mein Essen aussieht, als sei es schon mal gegessen worden. Vom Magen retourniert worden. Dass ich alles falsch machen würde, selbst wenn es dann mal schmeckt. Das waren halt immer diese witzigen Zankereien zwischen uns. Die irgendwann kippten. Vielleicht – nein, bestimmt sogar – gar nicht bewusst.

Heute weiß ich genau, dass die Sache mit dem Wasser aus der Blumenvase für mich der Anfang vom Ende war.

Wir drehten eine schöne Sendung mit Michael Schanze und Gila von Weitershausen, wirklich eine lustige Folge. Mit dem üblichen Gekäbbel zwischen Johann und mir. Ganz zum Schluss sitzen wir am Tisch zusammen und dann fiel mir Gott sei Dank noch etwas Lustiges ein. Ich sagte: »Mensch, Michael, kannst du noch mal dieses Plopp machen, was du immer bei deinem Kinderquiz ›1, 2 oder 3‹ gemacht hast? Dieses Plopp, Plopp das heißt Stopp, nur noch einen Hopp, dann bleibt es dabei!« Das habe ich immer geliebt, und meine Kinder auch. Kennt wahrscheinlich jeder, der um die 50 ist und als Kind auch fernsehen durfte. Der gute Michael machte das nur allzu gerne vor und wir sind natürlich ausgeflippt vor Begeisterung! Ich konnte das noch nie und probierte es gleich mal. Aber es wollte immer noch nicht klappen. Bis es dann doch noch endlich bei mir ploppte. Gelächter. Johann wollte es natürlich auch sofort ausprobieren – das Ploppen! Er hatte kaum seinen Finger in den Mund gesteckt, da reagierte ich schon blitzschnell mit einem Spruch: »Johann, du darfst das nicht machen, sonst sind die Zähne weg.« Ich deutete noch den Flugweg der Laferschen Kauleiste mit dem Finger Richtung Publikum. Die Leute schmissen sich weg vor Lachen. Johann natürlich nicht. Nach einem kurzen Moment der Sprachlosigkeit stand er auf, nahm das Blumengesteck aus der Tischvase, griff das grünbeige Ding und schüttete mir einen Schwall Blumenwasser ins Gesicht. Das Publikum schrie, ich habe gelacht und mit herunterhängenden Bartspitzen die Sendung abmoderiert.

Oben in der Garderobe war zwischen mir und Johann natürlich erst mal alles wie immer. Zumindest wollte ich das glauben. Aber schon wenige Tage später wurde mir klar, was eigentlich passiert war ... Natürlich hatten wir zehn Jahre Übung darin, uns gegenseitig ein paar kleine, lustig nickelige »Bosheiten« reinzudrücken. Und ich konnte das auf jeden Fall schneller und spontaner als Johann. Da Johann mit dem Mund nicht so schlagfertig ist wie ich, nahm er eben Blumenwasser für die Retourkutsche. Aber Witze über Zähne, Wasser über den Kopf – wo waren wir da mittlerweile gelandet? Wo sollte das denn hinführen? Mir wollte das auf einmal nicht mehr gefallen, es fühlte sich einfach nicht mehr richtig an. Ich merkte in diesen Tagen des Nachdenkens, dass irgendwas in mir keine Verbindung mehr fand zu dieser Lichter-Lafer-Show. Es wurde für mich zunehmend schwerer, »Lafer!Lichter!Lecker!« so befreit zu machen wie all die Jahre zuvor.

Ich war immer unheimlich gerne nach Hamburg geflogen, hatte mich auf die Aufzeichnungen gefreut. Habe Johann gesehen und sofort war da das Gefühl, dass ich alles perfekt im Griff habe. Wenn er mich oder mein Essen mal beleidigte, konnte ich mir sagen: Ist doch egal, so ist nun mal das Drehbuch für diese Sendung. Und umgekehrt, klar.

Aber das war auf einmal alles weg. Ich spürte einfach, dass unsere Uhr ablief, auch wenn ich mir immer wieder einredete: Horst, das ist eine erfolgreiche Sendung. Ohne die wärst du nicht da, wo du heute bist. Das kannst du nicht einfach so beenden. Und unsere Fans, die »Lafer!Lichter!Lecker!« lieben, die lieben ihren Johann, die lieben ihren Horst.

Die gucken das aus zwei Gründen: Die wollen a) wissen, wie genial und wunderschön Johann kocht. Aber die wollen b) auch die blöden Sprüche vom Lichter hören, wollen sehen, wie er seine leckeren Gerichte zusammenhaut – und: Sie wollen lachen. Diese Kombination aus uns beiden ist ja der große Erfolg der Sendung. Doch für mich wurde es langsam fast unmöglich, mit dem nötigen Spaß an der Freude vor der Kamera zu stehen.

Im April 2016 zeichneten wir die letzte Sendung »Lafer!Lichter!Lecker!« auf. Ich hatte erst ein bisschen Bammel, ob das alles noch mal klappen würde, aber meine Sorgen zerstreuten sich schnell in alle Himmelsrichtungen. Ich war glücklich, als Johann mich in der letzten Sendung mit einer wunderbaren Lobesrede überraschte. Er hatte ähnlich reflektiert wie ich: Dass viele unserer gegenseitigen Nickligkeiten dem Showkonzept geschuldet waren und dass ich wirklich lecker kochen könnte. Das war ein sehr versöhnlicher Moment. Für mich war das mehr als nur ein menschlicher und würdiger Abschluss. So können wir unsere zehn tollen Jahre miteinander positiv in Erinnerung behalten. Die lustigen Seitenhiebe, unsere gespielten Zankereien – das Showkonzept – hatten ihre Zeit, aber ich kann mein neues, verändertes Lebensgefühl nicht weiter ignorieren.

Ich habe zu mir und meinen richtigen Gefühlen zurückgefunden. Ich werde mich nicht mehr mit Sachen beschäftigen, die mir eventuell Bauchschmerzen bereiten könnten und die ich mir dann schönreden muss. Ich habe keine Lust mehr, meine statistischen 24 Jahre Restleben mit unnötigem Ärger auszufüllen.

14

Wer nicht mehr alle Tassen im Schrank hat

Ich kann es gar nicht oft genug sagen: Die intensiven Monate mit Mutter haben unzählige Spuren in meinem Leben hinterlassen. Alte, längst stillgelegte Wege sind wieder begehbar und so manche breite Autobahn, auf der ich aus Bequemlichkeit im Eiltempo gereist bin, ist eine einzige stauanfällige Schneckenfalle.

Ich kam mir vor wie einer, der mit seiner Alltagsordnung völlig durcheinandergekommen war. Gedanken und Lebensentwürfe, die eben noch als Sperrmüllkandidaten in einer alten Umzugskiste geschlummert hatten, entpuppen sich bei genauerem Hinsehen als gar nicht mal so unsinnig und überflüssig – und umgekehrt.

Manchmal sitze ich abends mit einer dampfenden Tasse

Tee im Hotelzimmer und frage mich, ob mein Leben überhaupt noch irgendeinen Bezug zur Realität hat. Heute Hamburg, morgen Köln und übermorgen Frankfurt. Und wie ein Urlauber im eigenen Haus. Ich war die letzten Jahre einfach viel zu wenig daheim. Ich bin immer noch verblüfft, dass ich jeden Tag woanders sein darf. Natürlich ist mein Leben real, ich bin ja nicht dusselig. Was ich meine, ist die Realität der meisten anderen Leute, der sogenannten »Otto Normalverbraucher«. Ich finde diese Bezeichnung eigentlich scheußlich. Ist nicht jeder »Otto Normalverbraucher« in Wahrheit ein heldenhafter »Siegfried Drachentöter«, der jeden Tag hart arbeitet, um seinen Liebsten ein sorgenfreies Leben zu ermöglichen? Ich war auch mal ein Otto Normalverbraucher. Und jetzt sitze ich in der Dr.-Wichtig-Suite, die ich eigentlich nicht bestellt habe, und frage mich, was dieses andere Leben mit mir anstellt. Kinders, ich krieg das immer noch nicht richtig auf die Reihe. Heute hier, morgen dort. Hotelzimmer, die sich irgendwie alle gleichen. Kreuz und quer durch Deutschland. Fernsehstudios, Bühnen, Garderoben, Rezeptionen und unglaublich viele Menschen, die es nur gut mit mir meinen: »Schönen guten Tag, Herr Lichter, schön, Sie zu sehen!«, »Hi, Hotte, du bist aber 'n Toptyp, grüß bitte den Johann von mir!« Die meisten glauben wahrscheinlich echt, dass wir uns täglich sehen, nicht ohne den anderen leben können, praktisch verheiratet sind. Jeden zweiten Tag heißt es: »Guten Tag, Herr Lichter, willkommen in unserem Hotel. Sie bekommen ein Upgrade auf Ihr Zimmer. Mit schönen Grüßen von der Direktion, wir hoffen, dass Ihnen die Suite recht ist.« Ob mir das recht ist? Manchmal denke ich, wieso bekomme ich die überhaupt, vielleicht hat die ein anderer mehr verdient? Die anderen Gäste bezahlen doch mit dem gleichen Geld wie ich.

Schon klar – ich bin der Fernsehonkel. Hotte, Hotte hü, Hotte, Hotte Herd. So weit okay. Die Menschen behandeln mich, seit ich im Fernsehen zu sehen bin, anders. Das ist schön. Und erschreckend. Manchmal auch »erschreckend schön«. Manchmal bin ich aber auch überfragt: Horst, ist das jetzt schön oder nicht? Die Menschen sind freundlich und hilfsbereit, das ist klasse. Aber manchmal auch erschreckend distanzlos und gerade seit Mutters Tod fühle ich mich etwas schutzlos. Sie küssen, knuffen, hauen mir freundlich auf die Schulter und erzählen mir unaufgefordert Geschichten aus ihrem Privatleben. Manchmal überfordert mich das und ich denke, diese Nähe ist schwer zu verarbeiten. Gleichzeitig mag ich diese Menschen mit ihrer offenen Art, ihrer Ehrlichkeit. Ich fühle mich immer noch viel zu oft wie ein staunender Besucher in einer künstlichen Glitzerwelt. Der kleine Horst aus Rommerskirchen, der Hauptschüler aus dem Dorf, der nichts anderes kannte als einen Kopf voller Flausen und harte Arbeit. Ich frage mich seit Kurzem immer, ob ich mich selbst vielleicht auch mal upgraden sollte? Dann müsste ich mir nicht so viele Gedanken machen. Früher war mein Leben zwar nicht einfacher, aber es war einfacher zu begreifen. Du stehst auf, gehst malochen und abends bist du wieder zu Hause. Familie, Frau, Kinder und Arbeit.

Wer im Showgeschäft arbeitet, wechselt in eine andere Realität. Man muss die Menschen mögen, sonst geht das nicht. Als ich die Goldene Kamera gewann, da ist so viel über mich hereingebrochen. Ich stand auf der Bühne und freute mich so sehr, dass mir die Tränen über die Wangen liefen. Dieses unendlich große Dankeschön des Publikums an mich, eine Belohnung für all die harte Arbeit und die vielen Zweifel. Als meine geliebte Frau Nada dann auf die Bühne kam und mich drückte, da sagte sie immer wieder: »Genieß den Moment, genieß den Moment!« Aber ich konnte das gar nicht richtig genießen, die Anspannung und der Stress waren in diesem Augenblick zu mächtig. Und das trotz meiner 15 Jahre Fernseherfahrung.

Ich weiß, dass einige Prominente Angst davor haben, irgendwann nicht mehr im Scheinwerferlicht zu stehen. Sie brauchen den Applaus, die Bühne und die Aufmerksamkeit wie die Frikadelle den Senf. So bin ich nicht, da könnt ihr euer körpereigenes Sitzaggregat drauf verwetten. Ich habe schon zwei komplette Leben gelebt und wenn dieses dritte irgendwann endet, werde ich ein viertes finden, wenn mich der liebe Gott lässt. Viele meiner berühmten Kollegen glauben mir das nicht. »Du brauchst doch den Zirkus«, sagen sie. Nein. Ich mag den Zirkus, aber ich brauche ihn nicht.

Wenn ich mir etwas vorgenommen habe, dann ziehe ich das durch. Gegen alle Widerstände. Nichts in meinem Leben hat Macht über mich, außer der liebe Gott. Wenn mir irgendeiner sagt: »Horst, du kannst doch gar nicht ohne deinen Laden leben, ohne diesen Beruf, dieses schöne Auto oder Weiß-der-Kuckuck-was«, da kann ich nur sagen: Ein eigenes Restaurant ist nicht wichtig für ein glückliches Leben. Ein Auto schon gar nicht. Das ist ja lächerlich. Was ich zum Leben wirklich brauche, sind Liebe, Zuneigung, Kameradschaft und echte Freundschaft – nicht aber Fernsehauftritte oder mein Restaurant.

Wenn dir Schicksalsschläge widerfahren, geben dir weder Geld noch Ruhm die nötige Kraft. Nur der Glaube an den lieben Gott, dich selbst und ein unbändiger Wille, stark zu bleiben.

Manchmal höre ich: »Wieso ist der Lichter im Fernsehen? Ich kann doch viel besser kochen als der Tortenheber!« Kinders, ich habe nie gesagt, dass ich der beste Koch bin. Ich sage aber immer wieder gerne: Ich habe viel Glück gehabt und ich arbeite unheimlich viel. Ich habe lange Zeit in meinem Leben ordentlich was vom Schicksal auf die Schnauze bekommen und urplötzlich hat der liebe Gott – warum auch immer – einen Rieseneimer voll Glück über mich ausgekippt, was ich manchmal immer noch nicht richtig fassen kann. Und davon ist verdammt viel hängen geblieben. Grund genug, den Menschen etwas Glück zurückzugeben. Selbstverständlich gibt es nicht nur freundliche Leute. Es gibt zum Beispiel Menschen vom Typ Meckersaurus. Der verstummt nie und recht machen kann man es ihm sowieso nicht. Der sieht mich in meinem Ferrari und sagt: »Guck dir den Lichter an. Fährt 'ne dicke Karre, alles von meinen Gebühren. Muss das denn sein?« Dem sage ich: »Ja, da hast du recht. Das muss nicht sein, ich brauche eigentlich kein Auto. Weil ich nämlich auch überall mit Fahrrad, Bus und Bahn hinkomme. Aber wenn man es sich erlauben kann, ist es schon schön, oder?« Wenn ich dagegen mit meinem kleinen Fiat 500 unterwegs bin, dann sagt derselbe Typ: »Guck dir den Lichter an – 'nen Arsch voller Kohle, aber zu geizig für 'ne dicke Karre!« Habe ich alles schon erlebt. Was *muss* schon sein? Wir brauchen Wasser und ein paar Grundnahrungsmittel. Was wir nicht brauchen, sind Kaviar, Schwarzwälder Kirschtorte, Schampus, Eis, Pommes mit dick Mayo … es ist aber schön, wenn man sich das leisten kann. Müssen muss man das alles nicht. Wir machen Liebe, auch wenn wir uns nicht fortpflanzen wollen. Weil es schön ist.

Vor vielen Jahren, da war ich noch gar nicht im Fernsehen,

ging ich in einen kleinen Baumarkt in Rommerskirchen und hörte, wie sich zwei Verkäufer hinter der Theke ohne Ende ereifern, dass Michael Schumacher bei Ferrari 40 Millionen Euro kriegt. Und das sei doch das Allerletzte, was für ein Dreck, was für ein Scheiß, das könne doch kein Mensch der Welt wert sein. Das ganze Programm wurde abgespult: Wie viele hungernde Menschen in Afrika damit satt gemacht werden könnten, mehr Rente für die Oma und, und, und. Die beiden Herren wollten die ganze Welt mit Michaels Kohle retten. Ich hörte das und war irgendwie sauer. Ich bin ja ein Riesenfan von Michael Schumacher, ich bewundere und verehre ihn sehr. Also überlegte ich mir, wie ich mich da jetzt einschalten könnte. Natürlich mit einer kleinen List.

Ich latschte erst mal laut vor mich her labernd durch alle Gänge und suchte geräuschvoll nach einigen Sachen. Dann ging ich scheinbar unzufrieden zur Information und sprach einen der beiden Moralapostel an: »Du, hör mal zu, ich habe ja das Restaurant in Rommerskirchen und ich möchte den Laden jetzt fachmännisch und stilvoll vergrößern lassen. Ich habe dich ja jetzt schon seit vielen Jahren hier im Baumarkt beobachtet, wie du das alles hier im Griff hast und machst … Kannst du das für mich organisieren, du bekommst auch ein eigenes Büro? Ich würde dich unbedingt einstellen, aber da gibt es ein kleines Problem – ich kann dir nicht mehr geben als 6500 im Monat. Aber dafür plus eigenen Firmenwagen. Was meinste?«

Es dauerte drei Sekunden, dann wurde der Meister hektisch und hampelte nervös hinter der Theke rum. Guckte sich nervös um und bat mich verschwörerisch: »Äh, Herr Lichter, das ist ja 'n Ding … lassen Sie uns das jetzt bitte nicht hier besprechen … wenn das die Kollegen oder mein Chef hört …

was haben Sie gesagt … 6500 im Monat?« Genüsslich legte ich nach: »Würde das denn reichen? Nach zwei Jahren erhöhe ich selbstverständlich noch einmal um 2000, wenn es gut läuft.«

Rumms! Klappe zu, Affe tot. Devot flötete Dr. Moral: »Ja, Herr Lichter, bitte, klar – hier ist meine Telefonnummer, rufen Sie mich privat an, dann können wir gerne alles sofort regeln.« Jetzt war ich am Drücker! Freundlich haute ich dem verdutzten Mann auf die Schulter: »Siehste? Merkste was? Ich weiß nicht, was du hier verdienst, ist ja auch wurscht. Aber ich biete dir 6500, 'n Autochen und die Aussicht auf 'nen Erfolgsbonus. Und was machst du? Hast du Zweifel geäußert? Hast du was gesagt? Mensch Hotte, die bin ich doch gar nicht wert, das ist doch viel zu viel Geld! Nein, es sah so aus, als ob du mein Angebot gerne angenommen hättest. Warum soll Michael Schumacher zu Ferrari gehen und sagen ›Leute, vier Millionen reichen‹? Warum sollte er? Wenn das doch jemand für dich aus freien Stücken zahlt, bist du es doch anscheinend auch wert. Ob du damit klarkommst oder nicht. Und wenn dir das zu viel Geld ist, dann kannst du ja selber persönlich entscheiden, was du mit der Kohle machst. Dann kannst du ja privat immer noch die Welt retten. Meine Hochachtung hättest du sicher.« Ich habe dann noch einen schönen Tag gewünscht und alles war wieder gut. Klar, wir sehen alle diese Wahnsinnssummen für Fußballer, Rock-, Film-, Fernsehstars. Aber das ist eben nur eine Seite der Medaille. Die Verantwortung für sein Geld muss jeder alleine tragen, ob arm oder reich. Ich kenne arme Menschen, die teilen ihren letzten Cent noch mit denen, die noch weniger haben. Wahrscheinlich gibt es Superreiche, die noch viel mehr wollen und nix geben. Die sagen: »Meine Steuerlast ist schon hoch genug!« Ich bin der

Meinung, das muss jeder selber mit sich klarkriegen. Wobei ich schon sehr an den Satz »Eigentum verpflichtet« glaube, »Eigentum verpflichtet. Sein Gebrauch soll zugleich dem Wohle der Allgemeinheit dienen«, wie es im Grundgesetz steht. Solidarität mit denen, die weniger haben. Wer nie auf das Konto der Hilfe einzahlt, der darf sich nicht wundern, wenn er eines Tages nichts zum Abheben hat. »Es gibt nichts Gutes, außer man tut es.« Schlauer Mann, dieser Erich Kästner. In Deutschland herrscht ja die Meinung vor, man solle zwar Gutes tun, aber nicht darüber sprechen. Seh ich anders: Tut Gutes und erzählt allen davon. Die Gesellschaft braucht Vorbilder durch alle Einkommensschichten. Mit Neid, Missgunst und pseudomoralischen Vorwürfen ist doch keinem gedient.

Ich vergesse nie, wie einige versucht haben, mir mit der großen Moralkeule eins über den Dez zu ziehen, als ich für Maggi Werbung gemacht habe. Johann kam tief erschüttert zu mir und stöhnte: »Horst, damit vernichtest du nicht nur deinen Namen, sondern auch meinen Namen, weil wir zusammen eine Sendung haben. Wie kannst du nur für Maggi Werbung machen? Für Tütensuppen!« Alle haben das gefragt, auch die Journalisten. Ja, wie konnte ich? Ich fragte dann meistens zurück: »Habt ihr euch jemals mit dem von mir beworbenen Produkt auseinandergesetzt?« Ich stehe da heute noch voll hinter. Maggi hat in über 100 Jahren Firmengeschichte noch nie mit irgendeinem Prominenten Werbung gemacht. Das hatten die nicht nötig. Jetzt hatte Maggi eine Idee: Sie wollten ein Produkt ohne Konservierungsstoffe und ohne Geschmacksverstärker machen, anders als bisher. Und dafür wollten sie jemanden haben, der das mit einer Portion Glaubwürdigkeit verkauft. Als wir die Anfrage bekamen, waren wir natürlich auch erst mal hin- und hergerissen. Dann habe ich mit meinem Berater Termine vor Ort gemacht, wir sind da hingefahren und haben uns die Maggi-Versuchsküchen angeschaut. Ich war damals so unglaublich positiv überrascht, aber auch gleichzeitig enttäuscht.

In diesen Versuchsküchen waren unter anderem viele ehemalige Sterne-Köche beschäftigt. Komischerweise sagten sie nie: »Ich arbeite für Maggi«, sondern immer, »Ja, wir arbeiten ja nicht für Maggi, wir arbeiten bei Nestlé«, vielleicht, weil's international klingt, gehoben. Dann haben wir zusammen diese Rezepte entwickelt. Wir haben zum Beispiel die Soßen erst mal so gekocht, wie ich sie koche, wie Mama die kocht, wie Oma sie kocht, wie sie halt sein müssen. Auf dieser Basis wurden die Produkte entwickelt. Ohne Geschmacksverstärker, ohne Konservierungsstoffe. Gar nichts drin, durfte nichts rein. Und wenn du das dann gekauft hast, stand im Prinzip hinten drauf ein Rezept zu der Soße. Man musste das Gemüse frisch einkaufen, das Fleisch und alles selber zubereiten, braten und kochen. Das hat kein Journalist je durchgelesen oder recherchiert. Ignoranz nennt man das. Egal, ich habe das Produkt, Maggi und die Kritik überlebt. Kritik ist ja auch immer in Ordnung. Es wäre halt wünschenswert, wenn Kritik auch viel öfter mal fundiert und nicht immer so moralinsauer daherkäme.

Johann hat meine Maggi-Werbung am Ende Gott sei Dank auch nicht geschadet. Werbung ist eine heikle Sache und ich achte darauf, dass ich hinter den Produkten, die ich bewerbe, voll und ganz stehen kann. Ich versuche dann, das auch nicht mit meinen anderen Aktivitäten zu vermischen. Als ich für Kerrygold-Butter geworben habe, war für mich völlig klar, dass ich in Kochsendungen jegliche Butter-Aktivitäten vermeiden musste. Das war für mich kein Problem, da habe ich eben Öl genommen. Die Kollegen zogen mich schon auf: Wie, Horst, keine Butter mehr? Was ist los? Was los war? Ich hatte überhaupt keinen Bock auf Schleichwerbungsvorwürfe.

Letztendlich muss jeder selber wissen, für was er Werbung macht oder nicht, was er mit seinem Geld macht oder nicht.

Wir leben in solch einem Überfluss, allein schon, welche Vielzahl an Konsumprodukten es gibt! Aber anscheinend brauchen wir diese Auswahl. Und es werden die verrücktesten Preise bezahlt! Konzertkarten für Popstars kosten schon mal 350 Euro. Selbst für Mineralwasser kann man heutzutage ein Vermögen ausgeben. Aber hallo! Allein in Deutschland wurden 2015 pro Kopf 147,3 Liter Mineralwasser getrunken. Mineralwasser ist hip und trendy! Früher haben die Leute höchstens Wasser getrunken, wenn sie mit dem Auto unterwegs waren. Gern auch mal ein stilles Wässerchen, denn man will sich ja mit seinem Tischnachbarn unterhalten und nicht mit dem Wasserglas. Das ist längst vorbei. Jetzt wird Mineralwasser zum Angeben gesüppelt, weil man es sich leisten kann. Und ich rede nicht von 'ner Halbliter-Plastikflasche Klötenheimer Felsenquelle für 2,25 Euro, sondern dem selbsternannten Wolkensaft! Eine 0,75 Liter-Flasche enthält angeblich 9750 Tropfen tasmanisches Regenwasser! Die gemessene Luft da unten soll die sauberste der Welt sein, deshalb wird das Regenwasser von Wasser-Sommeliers (gibt es wirklich!) als »die Tränen Gottes« bezeichnet. Preis für die 0,75-Pulle: 33 Euro! Das wären … 147,3 Liter … das sind 196,4 Flaschen … mal 33 … das macht 6481,2 … eine vierköpfige Familie kostet das schlappe 25 924 Euro und 80 Cent im Jahr. Nur fürs lecker Wässerchen. Jetzt weiß ich auch, warum Wassertrinken so gesund ist! Da bleibt kein Geld mehr übrig für ein umweltverpestendes Diesel-Auto. Aber bitte – wer das bezahlen will, wem es das wert ist, der soll das einfach machen. Des Menschen Wille ist sein Himmelreich.

Ich bin jedenfalls froh, dass das Trinkwasser aus dem Wasserhahn hierzulande meistens eine bessere Qualität hat als jedes Mineralwasser. Das wusste schon meine Mutter: »Junge, wer nicht mehr alle Tassen im Schrank hat, kann sein Wasser ruhig auch mal aus der Leitung trinken.«

15

Wenn ich damals gewusst hätte, was ich heute zu wissen glaube

Eine meiner absoluten Wunschvorstellungen ist ja, dass man mit dem Alter klüger wird. Aber ich glaube, es ist wohl eher so: Man wird mit dem Alter feinfühliger, auch weiser vielleicht. Mir gefällt das, ich weine jetzt sehr viel mehr als früher. Wenn ich heute einen alten Disney-Film wie »König der Löwen« gucke, fange ich schon an zu heulen, wenn der kleine Simba mit der Pfote umknickt. Ist so. Spaß beiseite, ich weiß nicht, warum ich ebenso sensibel auf die Natur reagiere. So ein badendes Amselpärchen in einer Gartenpfütze – das sehe ich und freu mich kaputt. Wenn ich mein Enkelkind be-trachte, wird mir schmerzlich klar, dass ich nur wenig Zeit für meine Kinder hatte. Ich war viel krank und hatte viel Arbeit, ich habe viel geschuftet. Aber das ist nur ein Teil des Puzzles. Heute erkenne ich das. Ich habe viel mehr Verständnis für die Sorgen und Bedürfnisse meiner Mitmenschen. Und wenn ich heute so ein paar Dinge richtigstellen könnte, dann muss ich sagen, mir tut es unendlich leid, dass ich Menschen verletzt habe.

Das kann ich gar nicht erklären, wie leid mir das tut. Meine erste Frau ist so ein Fall. Natürlich haben wir damals mit dem Tod unseres Babys etwas ganz Schreckliches erlebt, was alleine schon gereicht hätte, um diese Ehe zerbrechen zu lassen. Diese Qualen, die haben wir gemeinsam erlitten, aber nicht gemeinsam verarbeitet. Diesen Horror. Du willst zusammenbrechen und schreien, du willst wimmernd wegrennen, aber du tust nichts dergleichen.

Ich habe damals in einer Millisekunde begriffen, dass ich stark bleiben muss. Ich rief die Polizei, den Krankenwagen, meine Schwiegereltern und meine Eltern an. Der Rettungswagen kam und das Drama wollte nicht enden. Meine weinende Frau, die Sanitäter, Polizei, meine Eltern – alle in dieser kleinen Wohnung, der Gevatter Tod seine schreckliche Aufwartung gemacht hatte. Drama im Haus und vor dem Haus. Bittere Tränen, Panik, stumme und hilflose Nachbarn. Und in dem ganzen Chaos hatte ich auf einmal das Gefühl, dass nur ich stark genug bin im Auge des Sturms. Ich habe versucht, alle so gut wie möglich zu trösten. Ich weiß gar nicht, ob ich den Tod unseres Babys und alles, was damit zusammenhängt, bis heute überhaupt richtig verarbeitet habe. Ob ich schon alle Tränen geweint habe, die ich mir damals verboten habe.

Aber ich würde es mir zu leicht, viel zu leicht machen, wenn ich das Scheitern unserer Ehe allein auf den Tod unseres Kindes schieben würde. Heute, mit all meiner Lebenserfahrung, weiß ich, warum diese Ehe nicht funktionieren konnte. Damals waren wir jung, wir verwechselten »mögen« mit »lieben«. Ich war 19, sie war 20, und wir hatten ernsthaft geglaubt, das sei Liebe. Wir waren verliebt und hormonell gesehen feierten wir natürlich Erntedankfest. Und ich war eifersüchtig wie ein stolzer Gockel. Ich dachte ernsthaft, wenn ich so eifersüchtig bin und so für sie fühle, dann muss das Liebe sein. Ich war mit 19 noch ein Kind und sie mit ihren 20 Jahren eine erwachsene Frau. Sie war im Gegensatz zu mir völlig klar im Kopf. Sie wollte mit 21 unbedingt ein Kind haben, eine richtige Familie. Ich wollte mit 20 vor allen Dingen: Motorrad fahren, Spaß haben, nicht mehr zu Hause wohnen, essen, was ich wollte, und nicht mehr vorgeschrieben bekommen, wann ich nach Hause zu kommen habe. Wir hatten also nicht ganz dieselben Schwerpunkte, um ehrlich zu sein.

Ich wollte endlich weg von meinen Eltern, und da alle um uns herum geheiratet haben, mussten wir natürlich auch heiraten. Dumm nur: Am Anfang wollte ich gar kein Kind. Das war ein langer Kampf zwischen uns. Ich wollte einfach kein Kind haben, ich fühlte mich noch viel zu jung, ich war doch selbst noch ein Kind. Ein Kindskopf, der nur arbeiten ging, um Motorräder und Spaß zu finanzieren. Spaß kost' Geld, Spaß ist teuer. Aber Madame hatte einen eisernen Willen und irgendwann habe ich dann nachgegeben. Ich wollte nicht, dass unsere Ehe an der Kinderfrage zerbricht. Ich glaube, ich war früher noch tausendmal konfliktscheuer als heute und ich hatte meiner Frau einfach nichts entgegenzusetzen. Weil ich Angst vor den Konsequenzen hatte, ich hatte mehr Schiss davor, dass sie gehen würde, als vor einem Kind. Ich hatte einfach nicht die Eier, meine Befürchtungen zu artikulieren. Ich wollte natürlich auch meinen Eltern und Freunden nicht zeigen, dass die Ehe eigentlich kaputt war. Und da Ehepaare halt Kinder kriegen ... habe ich die Konsequenzen getragen. So wie ich schon immer bereit gewesen war, die Konsequenzen für mein Handeln zu tragen. Und zu ertragen. Aber meistens auch ... nein, vor allem, um einem drohenden Konflikt aus dem Weg zu gehen. Heute weiß ich, dass ich damals viel falsch gemacht habe. Das bereue ich sehr und ich bin unheimlich froh, dass wir es geschafft haben, trotz allem ein gutes Verhältnis miteinander zu haben.

Als Mutter im Krankenhaus lag, waren Margit und ihr Mann Kalle sehr hilfsbereit und für Mutter da. Margit und sie hatten auch nach der Scheidung einen guten Draht zueinander, alleine schon wegen der Kinder war das toll. Auch Kalle, ihr Mann, ist ein ganz feiner Kerl. Die beiden sind ein tolles Paar. Sie ruhen in sich und strahlen eine bewundernswerte Zufriedenheit aus. Seit mehr als 25 Jahren verheiratet, komplett neidfrei und liebenswürdig. Nie hat meine Exfrau – obwohl ich so viel Erfolg nach unserer Scheidung hatte – lamentiert, dass ich damals nur Schulden hatte und nur malocht habe. Nie haben die beiden die Kinder negativ beeinflusst ... wirklich zwei feine Menschen. Während ich oft erlebt habe, dass die Leute auf meinen Auto-Tick zum Teil neidisch und negativ reagieren, ist Kalle das alles völlig egal. Ich komme zum Beispiel mit einem wunderschönen Auto vorbei – und ich weiß, dass Kalle auch auf Autos steht. Die mochte der schon immer, er hat früher sogar Fahrzeuge restauriert – und dann sag ich: »Du, Kalle, wenn du willst, dann fahr doch mit dem Ding. Kannst du auch mal eine Woche haben.« Dann sagt der: »Ne, Horst, ich guck mir den gerne mal an, aber das ist nicht meine Liga. Da fühl ich mich nicht wohl mit.« Ich sage dann immer: »Kalle, das ist doch egal. Wenn du könntest, dann würdest du dir doch bestimmt auch so 'nen Schlitten holen.« »Nein«, sagt er, »würde ich nicht. Selbst wenn ich das könnte, würde ich das nicht machen. Ich finde die Autos wunderschön. Ich gucke mir die gerne an. Ich find das toll, dass du die fährst, aber ich muss das nicht haben.«

Kalle ist mit seinem Leben so klar, dass er sagt: »Horst, für mich ist das Schönste unsere kleine Eigentumswohnung, die gehört uns. Die ist bezahlt. Wir haben einen Hund, wir haben genug zu essen und zu trinken. Wir gehen schön spazieren. Wir gehen bald in Rente. Wir sind gesund. Wir haben ein schönes Auto und wir haben einen kleinen Wohnwagen, damit fahren wir schön in Urlaub. Und wir lieben uns.« Solche Menschen sind so selten. Ich wäre auch gerne manchmal so stabil, aber das ist mir nicht gegeben. Es fällt mir schwer, in mir zu ruhen. Erst durch Mutters Tod und Krankheit habe ich wieder gelernt, meine wirklichen Wünsche nicht mehr zu unterdrücken. Mehr auf mein seelisches Gleichgewicht zu achten, meinem inneren Kompass zu folgen. Die Zeit wird immer knapper, warum sollte ich sie auf falschen Wegen verbringen und falsche Ziele ansteuern?

Ich liebe Motorräder, seit ich richtig denken kann. Schon als Lehrling, mit nix im Portemonnaie, habe ich meinen Kumpels immer in den Zeitschriften die besten, teuersten und coolsten Motorräder gezeigt und ihnen prophezeit: »Die werde ich eines Tages alle mal fahren.« Und so ist es auch gekommen. Ich liebe auch immer noch die Oldtimerei, diese ganzen alten Autos und Motorräder. Ich bin immer gerne zu den Treffen gefahren, habe mit den anderen Verrückten Kotflügel gestreichelt, den Geruch von altem Leder und Benzin inhaliert und mich über filigrane Leichtmetallfelgen gefreut.

Oder die Oldtimerrallyes! Das waren für mich große Highlights: unterwegs mit Gleichgesinnten, mit Benzinbrüdern. Ich bin ja nach wie vor der Meinung, dass es Leute gibt, die in einem modernen, schicken Auto besser aussehen als in einem Oldtimer. Und du siehst auch, wie viele Leute mittlerweile einen Oldtimer fahren, nur weil es jetzt sauteuer und schick ist. Wenn ich dann noch meinen Lieblingsspruch höre »Auf der Bank gibt es fürs Geld keine Zinsen mehr, da haben wir uns halt diesen alten Porsche gekauft«, dann drehe ich am Rad. Weil, die mögen das Auto ja gar nicht! Für mich ist ein Oldtimer eine Art Liebesgeschichte und kein Sparbuch für Millionäre, denen die Autos eigentlich total egal sind, die nur drauf abfahren, weil sie viel Geld symbolisieren. Damit will ich nichts zu tun haben. Für mich haben diese alten Autos Seelen. Auf den Rallyes heutezutage sind mir zu viele Menschen dabei, die früher noch die Nase über uns Oldtimer-Junkies rümpften. Heute fahren sie mit, weil es »Ach, so chic« ist, hier in einem sündhaft teuren Oldtimer zu fahren. Ein High-Society-Event, bitte ohne Dreck und Unbequemlichkeiten. Dann gibt es noch die Ehrgeizigen. Diese Typen, die unbedingt gewinnen wollen, finde ich so prickelnd wie stilles Mineralwasser. Die üben ein halbes oder ganzes Jahr lang mit Stoppuhren auf Parkplätzen und kaufen sich für teuer Geld einen rallyeerfahrenen Beifahrer. Hobbyindianer, die zum netten Spielen mit Winnetou und den Apachen in kompletter Kriegsbemalung anrücken. Ist nicht mein Ding, aber klar, wenn die mit dem sportlichen Ehrgeiz an die Sache gehen und sagen »wenn ich da teilnehme, will ich auch gerne gewinnen«, dann meinetwegen. Leben und leben lassen. Ich will, dass die mir die gleiche Toleranz entgegenbringen, wenn ich sage: »Wir möchten nur dabei sein, weil wir gerne mit den

Autos fahren, Spaß haben und tolle Menschen kennenlernen wollen.«

Ich habe Leute erlebt, die haben null von der Landschaft gesehen oder genossen – die konnten dir nachher aber exakt sagen, nach wie vielen Kilometern irgendwo eine Sonderprüfung war. Die Verbissenheit mag ich irgendwie nicht. Sie geht hier oft einher mit Neid, mit diesem Niemand-anderem-was-Gönnen. Ich habe schon viele wütende Blicke und erhobene Fäuste gesehen, wenn ich mit meinem Ferrari mit 25 Stundenkilometern durch eine Tempo-30-Zone fuhr. Anscheinend sieht der Wagen schneller aus und klingt für viele auch bei einer so geringen Geschwindigkeit lauter als ein Formel-1-Wagen. In Italien oder Amerika würden die Menschen freundlicher winken. Diese Charaktereigenschaft, sich *mit* jemand anderem zu freuen, die würde uns Deutschen auch viel besser zu Gesicht stehen. Nochmal: Das Leben ist zu kurz für ein langes Gesicht, für Verbissenheit, Neid und Missgunst. Jeder Tag ohne Lachen ist ein vergebener Tag.

16

Lieber gar nicht als ganz

Wir lebten ungefähr schon ein Jahr in unserem neuen Heim in Baden-Württemberg, als ich eines Morgens gut gelaunt aufwachte. Ich haute mir ein Monster-Rührei in die Pfanne, machte mir einen Kaffee, der Dornröschen auch ohne Prinz geweckt hätte, und setzte mich an den Küchentisch. Alles war noch still. Und während ich mein leckeres Ei verputzte und der heiße Kaffee meine Lebensgeister in Schwung brachte, machten sich meine Gedanken selbstständig und mäanderten durch das Haus. Ich begann darüber nachzudenken, wie wohl ich mich fühlte. Doch gleichzeitig war da immer noch so ein dumpfes Unbehagen, ein Gefühl der Angst in meinem Kopf. Warum? Wir hatten das Haus gekauft, renoviert, schön eingerichtet ... wir fühlten uns so wohl wie der Pudel. Wir hatten diesen Riesenschritt gemeistert, obwohl uns so viele prophezeit hatten, das packt ihr nie! Woher kam also die Angst, was gärte da noch in mir? Ich zermarterte mir das Hirn. Stand auf, holte mir noch einen Kaffee, wurde langsam ärgerlich. Weil ich nicht weiterkam. Wovor hatte ich noch Schiss, verdammt noch mal? Es wollte mir nicht einleuchten. Bis mir ein Blick auf einen vollgekritzelten Zettel neben der Kaffeemaschine den entscheidenden Hinweis gab. Auf dem Zettel stand das magische Lösungswort: »Oldiethek«. Natürlich, der Laden. Er war zwar zu, aber praktisch hätte ich jeden Tag sofort wieder aufmachen können. Zweimal die Woche kamen die Putzfrauen zum Saubermachen. Es war alles noch drin, alles noch da. Unser altes Haus, das Grundstück. Warum eigentlich gab es das alles noch? Warum hatten wir nicht alles längst verkauft? Wollten wir diese Option nicht aufgeben oder konnten wir sie nicht aufgeben? Ich konnte wohl nicht loslassen, weil ich tief im Inneren noch diesen Funken Angst hatte: Kann ich wirklich ohne den Laden? Funktioniert das? Kann ich es mir leisten, mir diesen Rückweg endgültig zu verbauen? Steckten nicht fast 25 Jahre Arbeit, Liebe, Leidenschaft, Tränen und Kämpfe in dem Gemäuer? Die schönsten Geschichten und die traurigsten Geschichten …jedes Teil, jedes Staubkorn hatte seine Bedeutung. Das steckte ja alles »drin« in dem Laden. Nirgendwo hatte ich mehr Zeit in meinem Leben verbracht. Bisher hatte ich immer dieses schwammige Gefühl, wenn ich das aufgeben würde, verriete ich meine eigene Geschichte. Ich setzte mich wieder an den Tisch und lauschte: Ich warf einen Stein mit der Aufschrift »Laden verkaufen« tief in die Abgründe meiner Gefühlswelt und wartete auf den Aufprall. Aber – es passierte nichts. Und dann fühlte ich mich so unfassbar leicht und war gleichzeitig so dankbar. Von diesem Augenblick an wusste ich, dass ich jetzt endgültig loslassen konnte. Die Zeit war gekommen, um endgültig von der »Oldiethek« Abschied zu nehmen. Dieses Gefühl war unbeschreiblich! Mittlerweile war meine Frau auch aufgestanden und setzte sich zu mir an den Tisch. Ich nutzte den Überraschungsmoment und fragte sie völlig unvermittelt: »Sag mal, Nada … vermisst du eigentlich irgendwas?« Sie schaute mich irritiert an. Ich wiederholte meine Frage und sie sagte etwas verwirrt: »Nein. Und ich weiß wirklich nicht, was du meinst! Was soll ich denn vermissen?« Ich sagte ihr, es sei jetzt ein Jahr her, seit wir hier gelandet waren. Dass ich den Laden nicht mehr vermisste. Und weil ich gerade so schön in Fahrt war, nahm ich den Terminkalender raus und machte Nägel mit Köpfen: »Guck mal da, in der Woche … da habe ich fünf Tage am Stück frei. In den fünf Tagen werden wir nicht nur den Betrieb und das Haus verkaufen, sondern auch alles weggeben, was an Mobiliar, Bildern und Krimskrams noch drin ist. Wir machen alles komplett besenrein und leer!« Ich erntete mehr als nur zweifelnde Blicke von meiner Süßen, aber keine Widerworte. So weit, so gut. Umgehauen hat mich dann allerdings Folgendes: Nur zwei Tage später rief mich jemand an und meinte, er hätte gehört, »dass Sie das Haus und die Halle verkaufen wollen«! Das war schon verrückt. So was kann man nicht erfinden, oder? Solange ich nicht verkaufen wollte, hat sich keiner gemeldet. Obwohl ja alles leer stand und jeder wusste, dass wir weggezogen waren. Aber kaum hatte ich den Entschluss gefasst, loszulassen und alles zu verkaufen, ging alles ratzfatz. Verrückt! Ich sprach in Ruhe mit dem Interessenten, bestätigte noch mal ernsthaft meine Verkaufsabsichten und wir vereinbarten einen gemeinsamen Besichtigungstermin. Logisch, der Mann wollte ja nicht die Katze samt Katzenstreu im Sack kaufen. Als wir uns dann vor Ort trafen, ging's erneut rasend schnell. Er sah sich alles gewissenhaft an und sagte: »Alles klar, kaufe ich.« Kein Gehampel, kein Gefeilsche. Kein »ich weiß nicht, da muss ich aber noch mal 'ne Woche drüber nicht schlafen«, der

Typ sagte nur: »Das Haus ist prima, alles in Ordnung. Die Halle kann ich zwar nicht gebrauchen, aber ich kaufe trotzdem alles zusammen.« Der Gute kam noch nicht einmal aus der Nähe und ich war so happy, dass ich sogar vergaß, ihn zu fragen, wie er überhaupt von dem Verkauf Wind bekommen hatte. Egal – et kütt wie et kütt. Große Bedenken bereitete mir der Entrümpelungstermin. Vorsichtig schlug ich die von mir angedachten Termine für den Notar und die Entsorgung vor – und erntete erneut nichts als Zustimmung und Zufriedenheit. Übrigens glaubte mir außer dem Käufer keiner, dass ich die Termine würde halten können. Wer Bescheid wusste, schüttelte den Kopf und sagte so was wie: »Hotte, du hast einen an der Murmel! Gegen die ›Oldiethek‹ wirkt doch selbst jedes gut bestückte Museum wie 'ne karg möblierte Bude! Wie zur Hölle willst du das denn in den paar Tagen alles schaffen?«

Vielleicht hatte ich eine Vorahnung, vielleicht war ich einfach beschwingt durch den problemlosen Verkauf – ich wusste einfach, das würde alles problemlos klappen. Ich hatte es im Urin. Und deswegen war ich so entspannt wie ein Pfund Rhabarber in der Vanillesoße und betete jedem mein neues Mantra vor: »Am vereinbarten Tag ist alles leer. Am Mittwochabend um Punkt 18 Uhr kannst du ja gucken kommen und dich davon überzeugen. Dann ist es besenrein, kein Bild mehr an der Wand und nichts steht mehr drin.« Keiner hat mir das geglaubt, selbst meine Nada nicht. Das fand ich so granatenhaft. Ich weiß nicht, was ich an mir habe, dass die Leute mir immer nicht glauben wollen. Das ist einmalig. Vielleicht lassen sich viele von meiner gemütlichen, manchmal zu harmonischen Ausstrahlung täuschen. Aber wenn ich sage, dass ich eine Entscheidung getroffen habe, dann weiß ich auch, dass ich sie umsetzen kann und werde, komme, was da wolle, mit aller Beharrlichkeit.

Mit der Ankündigung »Ich schaffe das« und dem festgesetzten Termin hatte ich natürlich auch genug Druck auf der Düse, um richtig Dampf zu machen. Ich annoncierte in der Zeitung, verkündete den Termin zum Inventarverkauf auf meiner Homepage und betrieb ordentlich Mundpropaganda. Wir riefen Freunde und Bekannte an, fragten, ob sie beim Verkaufen helfen könnten. Die Reaktionen waren immer gleich: »Ja klar! Was für Preise wollt ihr denn nehmen?« Darüber hatte ich natürlich auch nachgedacht: »Egal, nehmt, was ihr wollt! Hauptsache, alles ist weg.« Es war mir einfach total egal, ich wollte ja keinen Gewinn mit den Sachen machen. Woran sich jemand erfreuen konnte, das sollte nicht im Container landen. Alles, bloß kein Sperrmüll! Als der große Verkaufstag nahte, sind wir hingefahren, haben ein Hotelzimmer genommen und die Container bestellt. Der Verkaufstag selbst lief dann so ab: Um neun Uhr machten wir die Halle auf – und ab sieben Uhr standen schon Trauben von Menschen vor der Tür, eine Schlange die Straße rauf und wieder runter. Alte Stammgäste, Freunde, Bekannte, Fremde, Schnäppchenjäger und Trödelheinis, Schrotthändler, es war unglaublich. Ich hatte mit vielen Menschen gerechnet, aber das war der absolute Hammer. Der Auftakt für eine wahnsinnige Aktion hätte nicht wahnsinniger sein können. Was dann alles passierte, wäre eigentlich ein eigenes Buch wert. Tränen, Lachen, Trauer, Wut und Erleichterung – alles dabei. Am Ende des Tages haben wir festgestellt, dass wir ungefähr 80 Prozent der Sachen verschenkt haben mussten. Das eingenommene Geld haben wir gespendet. Und was wirklich keiner mehr haben wollte, kam in den Container. Manche Erlebnisse an diesem Tag gingen mir richtig unter die Haut. Wildfremde Menschen und alte Stammgäste kamen auf mich zu, nahmen mich in den Arm und weinten fürchterlich: »Horst, es ist so schade, dass du aufhörst.« Mit einigen musste ich mitweinen, andere habe ich, so gut es ging, getröstet. Die Menschen nahmen Anteil, weinten – und äußerten vor allem auch Verständnis, wenn ich ihnen erklärt habe, warum ich Schluss machte mit dem Laden. Diese Leute haben mich und den Laden geliebt. Denen habe ich viel geschenkt oder die Sachen für 'nen Appel und ein Ei vertickt. Da waren zum Beispiel zwei ganz nette Mädels aus der Umgebung, ganz lieb und herzzerreißend höflich. Die rasten immer um sechs alte Stühle herum, die an einem schönen Esstisch standen. Irgendwann haben sie sich dann getraut, mich anzusprechen, ganz dezent und liebenswürdig, was denn diese tollen Stühle wohl kosten würden? Als alter Gastronom und Menschenfreund merkte ich gleich, dass die jungen Frauen nicht gerade reich waren. Die hatten sicher kein Geld im Überfluss. Studentinnen halt. Dann habe ich ein großes Brimborium gemacht, ein Riesenfass aufgemacht, wie sehr ich an den Stühlen hänge … wer da schon drauf gesessen hätte … wie wertvoll die eigentlich wären und weiß der Kuckuck noch was. Der Plan ging auf. Ich merkte schon richtig, wie die resignierten, immer kleiner und verzagter wurden. Frei nach dem Motto: Komm, ist gut, Lichter, behalt deine Edelstühle, dann nehmen wir die halt nicht. Und dann habe ich ganz lieb gesagt: »Okay. Aber fünf Euro pro Stuhl muss ich schon haben!« Ich hatte direkt Tränen in den Augen, als ich gesehen habe, wie unglaublich die sich gefreut haben. Das war für mich so ein schöner Augenblick. Die beiden Süßen bekamen dann auf einmal richtig Mut und wollten dann gleich auch noch den Tisch ergattern.

Ich also wieder ein bekümmertes Gesicht aufgesetzt und »hochverzweifelt« losgestöhnt: »Ja, also der Tisch. Da müssen wir aber mal richtig drüber reden, meine Grazien.« Denn ich hatte auch noch zufällig mitbekommen, dass die Mädels an einem meiner zahlreichen Klaviere gestanden und Klavier gespielt hatten: »Also der Tisch da, Kinder, das ist nicht wie bei den Stühlen, das ist eine ganz andere Nummer. Da hängt ein Klavier mit dran, den gebe ich nur mit dem Klavier da vorne ab. Vorschlag – das Klavier schenke ich euch, aber für den Tisch muss ich mindestens … fünf Euro sehen.« Da sind die beiden vor Freude komplett ausgetickt. Das war so schön, die so glücklich zu sehen. Ich glaube ganz sicher – ich meine, ich habe die Mädels nie wieder gesehen –, aber ich glaube, die werden das Klavier niemals weggeben! Ich glaube, die werden auch die Stühle und den Tisch behalten. Und wenn sie die Sachen weggeben, dann bestimmt nur in gute Hände. Solche Menschen liebe ich.

Klar, es gab an dem Tag auch Typen, die sich fast schon ernsthaft beschwert haben, dass ich »ihr Restaurant« geschlossen hatte, ohne sie um Erlaubnis zu fragen. Ohne Verständnis lamentierten, »das können Sie uns doch nicht antun.« Menschen, von denen ich gedacht hatte, sie würden mich lieben. Die in den teuersten Klamotten vor mir standen und wie die Kesselflicker um jeden Cent feilschten. Bestes Beispiel: Eine sehr feine Dame, die sehr häufig bei mir gegessen hatte, bewunderte ein ganz bestimmtes Porzellanservice. Madame hatte sich also eine Riesenkiste zusammenstellen lassen mit wirklich schönem und sehr gutem Porzellan. Da ich wohl irgendwie anderweitig beschäftigt war, musste sie den Preis mit einem meiner Kumpels verhandeln und war nun gar nicht zufrieden mit dem, was ihr genannt wurde. Mit sauertöpfischer

Miene und stocksteif, als ob sie eine tiefgefrorene Makrele im Hintern hätte, kam sie zu mir und meinte: »Herr Lichter, jetzt war ich so lange Jahre Stammgast und dann so was! Schauen Sie doch mal, ich nehme doch so viel von dem alten Zeugs. Da können Sie mir doch wohl mal einen besseren Preis machen als Ihre Leute?« Himmel, ich zuckte zusammen und hatte schon Bammel, welchen unverschämten Preis man ihr denn wohl abverlangt hatte: »Ja, äh, was hat man Ihnen denn für eine Summe gesagt?« Da sagte Frau Hochwohlgeboren entrüstet: »Also die wollen doch tatsächlich 60 Euro für den Plunder haben!« Mir wurde fast schwarz vor Augen. Eine Riesenkiste Porzellan für 60 Euro, was für eine Frechheit. Die arme Frau! Leider bekam ich just in diesem Augenblick einen Schwächeanfall und die Schreibmaschine, die ich in der Hand hatte und wegräumen wollte … fiel mir runter – genau in ihre vollgepropfte Porzellankiste. Pardauz, schepper, klirr, alles kaputt. Sie guckte entgeistert und ich sagte: »Wissen Sie was, meine Teuerste? 20 Euro mit Schreibmaschine – ist der Preis so in Ordnung?« Mannomann, war die sauer. Aber ich auch. In der Kiste war Porzellan für Hunderte von Euros und Madame Klunker hatte 'nen Igel in der Tasche. Ich war so wütend, ich konnte leider nicht anders, als ihre respektlose Preistreiberei mit dieser respektlosen Trümmeraktion zu beantworten, nicht gerade fein von mir, ich weiß. Die meiste Zeit wurde aber viel gelacht über die vielen skurrilen Momente. Sehr amüsant zum Beispiel: die Tonnen von Silikon an den Wänden. Da die Wände teilweise so porös waren, dass ein kleines Nägelchen vorsichtig mit 'nem Hämmerchen berührt schon einen Riesenkrater verursachte, habe ich fast alle Gemälde und Bilder mit reichlich Silikon und Baukleber an den Wänden fixiert. Da klebte so viel von dem Zeug, ich glaube, die »Oldiethek« war das einzige erdbebensichere Gebäude im Großraum Köln. Also packte ich mir ein riesengroßes Messer und schnitt die ganzen Bilder von den Wänden. Dann das verbliebene zähe Zeug mit dem Spachtel ganz abgeschrappt ... was eine kräftezehrende Scheißmaloche! Aber das Schönste für mich war die Tatsache, dass wir den Laden dann wirklich am Mittwochabend pünktlich um 18 Uhr leer geräumt hatten. Besenrein! Alles sauber, alles raus, alles verkauft, alle Container voll. Ich bedankte mich bei allen Helfern, umarmte und verabschiedete mich von Familie, Freunden und Bekannten. Ich wollte noch mal alleine im Laden sein und mich richtig von ihm verabschieden. Als alle weg waren, habe ich mich im Laden auf den Betonboden gesetzt. Den Betonboden, den ich vor 25 Jahren im Schweiße meines Angesichts selbst gemacht hatte. Ohne einen Schimmer Ahnung. Mit nichts als meinen Händen, einem Berg Schulden und einem Kopf voller Flausen. Um mich herum war kaum noch Licht und es war andächtig still. Bevor ich richtig begreifen konnte, warum ich das eigentlich machte und was mit mir los war, fing ich leise an zu reden. Ich strich mit den Händen über den glatten Beton und erzählte meinem Boden, was wir alles gemeinsam erlebt hatten. Ob er sich auch noch darin erinnern konnte, wie ich alles durch die Mischmaschine gekloppt und mir übelst die Knie auf dem Zement verbrannt hatte ... erinnerte ihn an alle Mitarbeiter und Lieblingssprüche ... an alle fröhlichen und verzweifelten Stunden ... fragte ihn, ob er sich noch an die Fußabdrücke von Mick Jagger, Ian Gillan von Deep Purple und Nick Mason von Pink Floyd erinnern konnte. Ob er vielleicht auch noch eine Geschichte für mich hätte? Und gerade, als ich gefragt hatte, fiel mir diese Geschichte wieder ein: Meine erste Frau Margit stand in der Küche und spülte.

Weil ja alles ziemlich offen war zum Gastraum hin, konnten die meisten Gäste sie auch gut dabei sehen. So war das eben. Ich stand natürlich am Herd und begrüßte mit einem dicken Schmatzer meine Tochter, die gerade zur Tür hereingekommen war. Dann ging sie in die Küche, sagte laut »Hallo, Mama« und gab das nächste Küsschen. Auch das konnten alle Gäste sehen. Vor allem die sechs Personen am ersten Tisch, vorne direkt am Ofen. In dem Moment bog Nada um die Ecke und im Vorbeigehen gab ich ihr einen Kuss und einen schelmischen Klaps auf ihr wunderbares Hinterteil. Die Gesichter der Leute am ersten Tisch verwandelten sich augenblicklich – erst waren sie verwundert, jetzt zutiefst empört. Auf den sechs Stirnen stand: »Boah, ist das ein durchtriebener Lustmolch! Seine arme Frau und Tochter stehen da und spülen und der Hallodri betatscht die Kellnerin!« Ich verspürte keine Lust, die Herrschaften aufzuklären. Im Gegenteil. Als ich fertig war mit kochen, setzte ich mich an den Nebentisch und holte Nada, Margit und meine Tochter dazu. Wir lachten und scherzten. Auf einmal traute sich einer der Empörten – ermutigt von unserer lachenden Dreierrunde – zu fragen, was den ganzen Tisch offensichtlich brennend interessierte: »Äh, Herr Lichter, eine Frage … ist die Dame da Ihre erste Frau?« Ich sagte: »Ja, richtig, das ist meine erste Frau. Die Mutter meiner wunderbaren Kinder.« Erleichterung beim Frager: »Ach so, jetzt verstehen wir das. Dann ist die Dame, der Sie auf den Po … ist das Ihre zweite Frau?« Da musste ich wahrheitsgemäß passen: »Nein. Mit der verstehen sich beide nicht!« Und dann haben wir natürlich gelacht, bis uns die Tränen kamen. Die Armen konnten ja nicht ahnen, dass Nada meine Freundin war und es noch eine zweite Exfrau gab. Die Leute waren natürlich etwas pikiert, weil wir so geierten, und haben dann aufgehört zu fragen. Ach, mein guter alter Boden, wir haben so nette und witzige Situationen erlebt. Wir haben so viel gelacht in dem Laden. Aber trotz aller harten Arbeit hatten wir überwiegend Spaß. Wieder strich ich mit der Hand über den Boden und verpflichtete meinen steinernen Weggefährten mit einem Tränchen im Auge, über alles, was in diesen Wänden passiert war, Stillschweigen zu bewahren. Unsere Geheimnisse zu bewahren. Dann blieb ich schwer traurig noch mal fünf Minuten ganz still sitzen, stand auf, verließ die Halle und schloss den Laden für immer ab. Das war sehr traurig, sehr schön und bewegend. Und wichtig. Ich kann heute ohne einen Hauch von Wehmut oder Traurigkeit an der Halle vorbeifahren. In dem Bewusstsein, alles richtig gemacht zu haben. Meinen Frieden mit der Vergangenheit gemacht zu haben und die Lektionen des Lebens aus all diesen Jahren zu akzeptieren. Das gefällt mir sehr. Ich vermisse den Laden nicht. Das Einzige, was ich hier und da mal vermisse, sind die Menschen, zu denen die schönen Erinnerungen gehören.

Vor einiger Zeit habe ich sogar mein letztes Grundstück in der alten Heimat abgegeben. Das ging ziemlich flott und reibungslos, wie mit dem Laden. Seit drei oder vier Jahren versuchte ich, meinen verrückten Garten zu verkaufen – den, in dem ich Motorräder in die Bäume gehängt und ein altes Autowrack mitten in die Wiese eingepflanzt hatte. Aber niemand war interessiert. Ich habe sogar mal einen Makler mit dem Verkauf beauftragt, bis der irgendwann entnervt aufgegeben hatte: »Herr Lichter, das geht nicht. Das kriegen wir nie verkauft mit diesen bekloppten Motorrädern.« Ausgerechnet dieses Jahr, nachdem ich das ganze Drama mit Mutter hinter mir hatte und den letzten Zopf abschneiden will, passierte was. Ich ging zum Amt und erkundigte mich erneut nach den Unterlagen und den Nutzungsauflagen des Grundstücks. Keine 14 Tage später rief mich jemand aus Rommerskirchen an: »Ich kaufe das Grundstück.« Der wollte noch nicht mal, dass ich ihm alles zeigte. Stattdessen gab es zügig einen Termin beim Notar und der Kauf war eingetütet. Erst danach gingen wir gemeinsam zum Grundstück. Er fiel aus allen Wolken: »Was ist denn das an den Bäumen?« Ich versuchte, unbeeindruckt zu bleiben, und antwortete, als sei es das Normalste von der Welt: »Du, da hängen Motorräder im Baum.« Monsieur verzog keine Miene: »Ach so, das ist ja witzig.« Das war's, das fand ich großartig. Ich hoffe, die Yamaha und die KTM, die ich damals in die Bäume gehängt hatte, sind immer noch da. Die sahen nach all den Jahren wie ein Teil des Baumes aus. Genauso das Auto, das mit Efeu überwuchert ist. Ein alter Armstrong aus England. Den hatte ich in mal in einer Scheune gesehen und gedacht, es wäre ein alter Rolls-Royce. War aber kein Rolls, sondern ein Armstrong Siddeley. Die sehen halt so ähnlich aus wie die Rolls-Royce aus den 50ern. Es war kein Motor drin und der Besitzer musste ihn verkaufen, weil er wegen seiner Scheidung keine Kohle mehr hatte. Und dann habe ich ihn hoffentlich damals mehr oder weniger gerettet mit dem Kauf … obwohl ich das Auto eigentlich gar nicht haben wollte. Ohne Motor! Dann kam mir die Idee: Okay, ich stell' das einfach in den Garten, sieht doch toll aus auf den Steinen. Efeu rein, dann wächst das schön ein, praktisch ein Kunstwerk. Hat ja auch geklappt, ich fand es jetzt immer noch wunderschön.

Seit dem Verkauf des Grundstücks habe ich keinen konkreten Bezug mehr zu der Gegend, in der ich aufgewachsen bin und weit über 40 Jahre meines Lebens verbracht habe.

Seit ich durch ganz Deutschland reise, finde ich meine Heimat da, wo liebe Menschen sehnsüchtig auf mich warten. Die vielen Erlebnisse in meiner alten Heimat, mit Mutter, der Familie und dem Laden, sind jedoch unvergessen. Ich trage viele Erinnerungen mit mir herum.

17

Horst im Glück

Es gibt da etwas, was ich erledigen muss. Das ist mir – wie so vieles andere – dringend klar geworden in den Tagen nach Mutters Tod. Etwas, von dem ich schon als Jugendlicher geträumt hatte: einen Motorradurlaub. Nur ich und mein Motorrad, mein Moped. Wir fahren dahin, wo der Wind uns hinweht. Ich packe ein paar T-Shirts, Unterwäsche und Socken in meinen Tankrucksack, stecke ein bisschen Kohle in die Hosentasche und fahre los. Das nehme ich mir schon seit 40 Jahren vor, aber ich habe es nie gemacht. Und ich weiß nicht, warum. Aber ich habe so viel in der letzten Zeit darüber nachgedacht, dass es nun keinen Ausweg mehr gibt. Ich muss das erledigen, ich muss das ein für alle Mal abhaken. Natürlich habe ich mir überlegt, warum ich diese Tour – seit 40 Jahren, man muss sich das mal vorstellen! – vor mir herschiebe. Jedes Jahr hatte ich mir sehnsuchtsvoll eingeflüstert, wie toll meine

Tour werden wird. Und dass ich es dieses Jahr nicht schaffe, aber nächstes Jahr, da würde ich Nägel mit Köpfen machen. Auf Kies gefurzt, gar nichts habe ich gemacht! Außer 40 Jahre Ausreden zu sammeln. Warum? Gute Frage, Hotte! Vielleicht weil ich gar nicht weiß, wohin ich überhaupt fahren werde. Kein Ziel zu haben, ist nichts für schwache Nerven. Ich habe doch immer eisern meine Ziele verfolgt … ertrage ich es überhaupt, kein Ziel zu haben? »Ich fahre einfach los« – das hört sich so cool an, frei und ungebunden. Der Marlboro-Mann unter den Köchen, Horst Lichter. Der coole Easy Rider. Aber vielleicht bin ich das gar nicht? Was mache ich, wenn ich nach drei Tagen ernüchtert feststelle, dass ich schon fertig bin mit der großen weiten Abenteuertour? Bin ich nur ein Traumtänzer, der die Realität gar nicht braucht?

Mit 14 Jahren habe ich das erste Mal davon geträumt, mit dem Moped alleine abzuhauen. Weil mein Idol Peter seine große Pfingsttour fuhr. Das fand ich so unglaublich cool. Da saß ich in meinem Zimmer und dachte, boah, wenn ich das doch auch machen könnte! Als ich dann 16 war und Peter 18, setzte er dem Ganzen noch die Krone auf. Mit drei Kumpels machte er sich auf den Weg nach Afrika. Mit dem Motorrad nach Afrika, das klang für mich wie ein Märchen aus tausendundeiner Nacht. Das war nicht von dieser Welt, zumindest nicht von meiner Welt. Meine Welt war mein kleines Zimmer im kleinen Rommerskirchen und mein Moped trug mich nicht bis nach Marokko, sondern zu meiner Lehrstelle nach Bergheim. Und deswegen musste ich halt träumen von meiner Tour … wie ich auf dem Moped sitze und alles rieche, erlebe, fühle und erfahre. Das werde ich nicht länger aufschieben, sonst verliere ich am Ende noch den Respekt vor mir. Letztendlich ist es doch egal, was am Ende herauskommt. Ich werde alleine losfahren, das ist ganz wichtig. Mich morgens auf mein Moped setzen, meinem Schatz auf Wiedersehen sagen und losfahren. Richtung Sonne. So lange, wie ich will oder bis ich müde werde. Dann einfach essen gehen und schlafen. Keine Hotels, lieber kleine Pensionen. Oder Bed & Breakfast, mir egal. Wie lang die Tour wird, ist auch völlig wurst. Es kann sein, dass ich ein paar Wochen weg bin. Oder dass ich nach drei Tagen entnervt wiederkomme und zu meiner Süßen sage: »Was für ein Mist, mir tut der Rücken weh und ich habe überhaupt keine Lust mehr, stundenlang auf dem Bock durch die Gegend zu tuckern.« Na und? Ich will null Druck haben, keine Ansagen machen, mit denen ich mich festlegen könnte. Natürlich habe ich im Laufe der Jahre vielen Bekannten und ein paar Freunden erzählt, dass ich diese Tour mal machen werde. Und jeder hat natürlich artig gesagt: »Mensch Hotte, komm doch vorbei, hier ist immer ein Bett für dich frei.« Aber ich werde schön meine Klappe halten. Ich will keinem auf den Nerv gehen, keine Verpflichtungen eingehen. Die letzten 20 Jahre war mein ganzes Leben voll mit Verpflichtungen. Ich will frei und selbstbestimmt sein, darum geht es doch. Ich will auf dieser Reise ganz bei mir sein, keine Rücksicht nehmen und meinen eigenen Rhythmus finden. Alles soll möglich sein, nichts festgelegt. Vielleicht habe ich ja Bock, mit dem Schlafsack auf einer Wiese zu pennen. Kann sein, dass ich nach zwei Wochen das Gefühl habe, ich wäre gerade erst einen Tag weg, und bleibe noch zwei Wochen. Es könnte aber auch sein, dass ich nach drei Wochen völlig glücklich nach Hause komme und trotzdem sage: »Ich fahre nie wieder Motorrad. Das Thema ist endgültig durch.« Ich habe einfach keine Angst mehr vor dem Ergebnis. Wenn ich mit meinen alten Kumpels über die Tour spreche, dann sagen viele immer: »Wow, hast du ein Glück mit deiner Frau.« Und dann erzählen sie, dass sie gar kein Motorrad mehr haben, weil ihre Frauen das nicht möchten. Zu gefährlich und so. Dann habe ich immer klugscheißerisch gesagt: »Der einzige Grund, kein Moped mehr zu haben ist, wenn du's nicht willst, wenn du Angst hast oder es finanziell deine Familie schädigt. Sonst gibt es keinen Grund. Kompromisse muss man machen, klar, aber du musst doch auch du selber bleiben dürfen.« Jetzt wird es Zeit, dass ich alle meine guten Reden, Vorsätze und Träume in die Tat umsetze. Weil ich es kann und weil meine Frau mich unterstützt. Das würde ich ja umgekehrt auch machen. Wenn Nada morgen zu mir käme und sagen würde: »Horst, ich möchte gerne Seiltänzerin werden«, dann unterstütze ich sie, so gut ich kann. Ist doch klar. Es ihr zu verbieten oder auszureden wäre nicht meine Vorstellung von Partnerschaft. Ich glaube, manchmal verbieten Menschen ihren Partnern etwas, weil sie Angst haben, dass die sich zu sehr verändern könnten – und dass das dann die Beziehung gefährden könnte. Klar, man kann darüber nachdenken, ob man gewisse Unternehmungen oder Hobbys nicht auch gemeinsam erleben sollte. Aber wenn dein Partner etwas nur für sich allein haben möchte, dann ist das doch auch völlig okay. Wenn ich einen mitnehmen würde auf dieser Tour, dann wäre das nicht mehr meine Tour. Ich weiß, wie ich bin, ich würde automatisch Rücksicht nehmen, wenn jemand hinten draufsitzt, wenn er Pipi muss, wenn er müde ist. Und das wäre dann nicht mehr die Tour, von der ich träume, seit ich 14 bin. Nachdem ich fast 30 Jahre sehr viel funktioniert habe, um mich freizustrampeln, brauche ich das einfach mal für mich. Das finde ich nicht verwerflich.

Wenn ich diese Reise, diesen Trip nicht jetzt endlich mache ... ich weiß ganz genau, das würde ich ernsthaft bereuen.

Von nichts habe ich zeitlebens mehr gesprochen als von meiner Motorradreise. Und ich glaube, wenn ich sie nicht mache oder wenn jetzt etwas passiert, was sie verhindern würde – das wäre eine echte Katastrophe.

Ich hab mich irgendwann gefragt, woher eigentlich meine Leidenschaft für Autos und speziell Motorräder kommt. Die Antwort fand ich in einer Reise in meine früheste Kindheit. Alles, was Räder hat, war schon als Kind für mich eine Sensation. Ich war verrückt nach meinem Fahrrad und liebte mein Kettcar. Ich habe ständig rumgeschraubt, umgebaut und vor allem »alt gemacht«. Den Lack stumpf geschmirgelt, Dreck verteilt und dann überall rumgebrettert. Über Stock und Stein, Wiesen und Felder, unsere Straße. Fußball spielte bei uns in der Straße keine große Rolle, wir waren eher die Fahrrad-Rowdys, die sich nach jedem Moped umdrehten. Kleine 50er oder schwere Maschinen, völlig egal: Hauptsache, es knatterte und machte Krach. Die Sache war völlig klar! Erst musste ein Mofa her und dann ein 50er-Moped. Alles drehte sich bei uns Dorfkindern ums Moped. Wer mit so einem Teil kam, hatte eine Freundin. Wenn du zu Fuß kamst oder mit dem Fahrrad, dann warst du ein Trottel ohne Freundin – keine Chance ohne Moped. Aber wenn du die richtige 50er hattest, schnell und laut, dann haben die Mädels gefragt, ob sie mitfahren dürfen. Dann durftest du denen auch mit ziemlich großer Wahrscheinlichkeit an und vor allem unter die Wäsche gehen. Was einen Jungen wiederum zu einem amtlichen Macker machte. Und wenn die großen Jungs mit den richtigen Motorrädern kamen, dann konntest du sicher sein, dass die alle ein scharfes Mädel hinten drauf hatten. Die heißen Mädels wollten – so war es damals bei uns auf dem Dorf – einen »starken Typen«

mit einem coolen Motorrad. Nur dann warst du ganz vorne dabei. Das wollten wir natürlich alle.

Motorräder, das hieß immer Freiheit, Freunde, Mädels, Lachen und Spaß haben. Rock 'n' Roll gehörte auch dazu. Mit dem Moped in die ersten großen Diskotheken oder zur Kirmes zu fahren war das Größte. Als meine Jungs und ich im Kino »Easy Rider« sahen, standen wir unter so was wie 'nem Schock. Das war das Coolste, was wir bis dato gesehen hatten. Wie Peter Fonda und Jack Nicholson mit ihren schweren Choppern über endlos lange Highways brettern, und dazu dröhnte »Born to be wild« aus den kümmerlichen Boxen des Dorfkinos. Das war unser Sound, unsere Vorstellung von einem Leben, der Gegenentwurf zum spießigen Provinzleben unserer Eltern. Als wir aus dem Kino kamen, wünschten wir uns, dass alle Straßen umgebaut würden – lang und gerade sollten sie sein. Und die Musik musste hart und laut sein. Ich wollte unbedingt lange Haare haben, auch wenn es scheiße aussah. Ich war sowieso sehr speziell in dieser Phase. Mir war mein Motorrad wichtiger als die Mädels.

Ich vergesse nie, was ich meiner Freundin Birgit angetan habe. Die Arme! Es tut mir heute noch leid: Ich hatte ein neues Motorrad und sie saß natürlich hinten drauf. Um sich abzustützen – ich hatte einen M-Lenker und war sehr stark nach vorne gebeugt –, legte sie ihre Hände auf den Tank. Deswegen hatte ich ihre Fingerabdrücke auf dem Lack. Das fand ich so schrecklich, denn mein Moped war mein Heiligtum und sollte keine Patschpfoten-Abdrücke auf dem glänzenden Lack haben. Also habe ich ihr ein ums andere Mal gesagt: »Mach das nicht, ich finde das echt zum Kotzen! Halte dich hinten fest oder an mir, aber nicht an dem Tank, sonst muss ich den ständig polieren!« Einmal sind wir mit ein paar Mopeds in die Eifel gefahren und die Mädels alle hinten drauf. Und dann stach die Mädels der Hafer – denn alle wussten ja, wie bescheuert ich mich mit dem Tank und überhaupt mit meinem Moped anstellte. Die Weiber hatten sich verständigt und Birgit angestachelt, sie solle die Hände auf meinen Tank legen, was sie dann auch tat. Die wollten mich halt ein bisschen ärgern. Hat auch bestens geklappt. Ich hielt abrupt an und sagte ihr: »Birgit, steig mal ab.« Machte sie auch, kichernd. Und dann bin ich einfach weitergefahren. Dann kamen die Jungs hinterher und meinten: »Du kannst das Mädel doch nicht da stehen lassen!« Ich blieb stur: »Doch, ich habe es ihr gesagt. Tausendmal habe ich es ihr gesagt, mach das nicht, pack nicht an den Tank!« Die arme Birgit fuhr dann tatsächlich mit dem Zug nach Hause! Und obwohl ich so eine böse Arschlochnummer abgezogen hatte, war sie zwei Tage später trotzdem bei uns und hat sich bei Mutter über mich ausgeheult. Die hat natürlich böse mit mir geschimpft. Völlig zu Recht. Heute kann ich drüber lachen, Birgit hoffentlich auch … ein klitzekleines bisschen. Ich hoffe aber noch mehr, sie verzeiht mir mein schlechtes Benehmen. Heute schüttele ich den Kopf über meine seltsamen Anwandlungen damals. Da gab es Momente, die machen mich noch heute sprachlos. Ich hatte mal eine Freundin, da sage ich heute noch, ja, leck mich doch am Allerwertesten – was war die hübsch! Ein sexy Sechser mit Östrogen-Zusatzzahl. So ein Mädel, wo du denkst, da hat der liebe Gott aber einen ganz besonders guten Tag gehabt. Und ich war wahnsinnig verschossen in dieses bildhübsche Menschenkind. Eines Tages, ich wohnte noch immer bei meinen Eltern, war ich am Ziel meiner hormonellen Wünsche angekommen. Wir lagen in meinem Zimmer und ich hatte schon meine Hand mit ihrem ausdrücklichen

Einverständnis unter ihre Bluse geschoben. Mit zittrigen Fingern versuchte ich, zwischen ihren pfirsichsamtenen Hügeln und Schluchten auf Erkundungstour zu gehen. Alles deutete auf ein triebgesteuertes Erntedankfest hin. Mitten in diesem wilden Geknutsche und Gefummel hörte ich plötzlich Mutter im Flur meinen Namen rufen: »Horst, der Dieter hat angerufen und fragt, ob du um sechs zum Motorradfahren kommst? Horst?« Und was machte ich Idiot? Ich zog meine Hand aus der Bluse, schaute auf die Uhr, stand auf, ließ dieses Wahnsinnsgeschoss verdutzt im Bett liegen und zog meine Motorradsachen an. Es war Viertel vor sechs! Ich wollte auf keinen Fall zu spät zum Mopedfahren kommen. Mein Gott, war das Mädel sauer! Bitterböse sauer und stinkig. Verständlicherweise.

Aber so war ich damals. Mein Moped und meine Kumpels waren das Wichtigste in meiner kleinen Welt. Da gab es noch nicht mal Kompromisse, kein »erst zu Ende kuscheln und dann Motorrad fahren« – nein, es ging immer nur eins. Besser Mädchen weg als Kumpel sauer. Und was für einen Stellenwert das Moped hatte … Moment, wie war das eigentlich, als ich mein erstes Moped bekam? Lustige Pointe: Wenn ich es genau überlege, war mein erstes Moped eine echte Enttäuschung. Ich vergesse nie, wie meine Eltern ankamen und mir sagten: »So Jung', jetzt haben wir für dich gespart, du bist 16, bist in der Lehre, du bekommst ein Moped. Such dir ein Moped aus!« Hurra! Das war 1970 klar wie Kloßbrühe: eine Hercules Ultra. Das teuerste und schönste Moped auf der Welt. In Rot, mit verkleidetem schwarzem Auspuff. Einfach wunderschön. Eine – so war das früher – sogenannte »Klasse 4«, ein Moped mit großem Nummernschild. Wenn der Motor frisiert wurde, dann machten die über 100 Stundenkilometer.

Das war eine absolute Granate, die Ultra. Und dann bin ich mit den Eltern in den Omnibus nach Grevenbroich gestiegen, weil wir ja kein Auto hatten. Dafür reichte die Kohle nicht. Vater fuhr jeden Tag mit einem uralten Moped zur Arbeit und malochte sich die Muffe wund, um es mal ganz unromantisch zu sagen. Aber trotzdem hatten sie für mich gespart, mein Bausparvertrag wurde für ein Moped geschlachtet. Für mich war ja die Sache mit der Hercules Ultra schon abgehakt.

In Grevenbroich gab es den Hercules-Händler Meurer, also schleppte ich Vater und Mutter dahin. Als wir angekommen waren, stiefelte ich voran in den Laden und sagte mein Sprüchlein auf: »Schönen guten Tag, Herr Meurer, ich brauche eine Hercules Ultra!« Dem guten Herrn Meurer fiel anerkennend der Kiefer tiefer: »Jung', da warst du aber ordentlich fleißig.« Da mischte sich mein Vater etwas irritiert ein: »Ja, Herr Meurer, wie sieht die denn eigentlich aus, diese Hercules Ultra?« Der gute Fachhändler klärte meinen Papa auf: »Ja, davon haben wir natürlich keine hier. Davon verkaufen wir sehr wenig, weil die ja auch sehr teuer sind. Aber hier ist ein Prospekt, da können Sie mal gucken!« Mein Vater fiel aus allen Wolken: »Um Himmels willen, Jung', das ist ja fast ein richtiges Motorrad. Das ist ja gar kein Moped!« Auch Mutter mischte sich nun ein: »Was kostet die? Dreitausendvierhundertsechzig Mark? Junge, jetzt gehen wir im Kaufhof erst einmal einen Kakao trinken.« Ich ahnte Arges und versuchte, am Drücker zu bleiben: »Mama, das können wir doch nachher auch noch machen. Lass uns erst das Moped kaufen.« Aber Mutter war eisern: »Ne, jetzt gehen wir erst einmal was trinken und nachher kommen wir noch einmal wieder. Danke, Herr Meurer!« Ich schlich wie ein geprügelter Hund mit in den Kaufhof und hörte enttäuscht die Worte meiner

Mutter. Sie erklärte mir, dass sie für mich 1600 DM gespart hatten und sie sich kein Moped für über 3000 Mark leisten konnten. Das war für uns ein Vermögen, denn Vater verdiente höchstens 900 DM im Monat für die ganze Familie. Aber als enttäuschter Pubertierender hatte ich gelinde gesagt null Verständnis für ihre Erklärungen. Eher noch weit unter null. Ich war nur eins: unfassbar sauer. Ich motzte auch noch rum: »Ihr seid eine große Enttäuschung. Wie erkläre ich das denn meinen Kumpels, dass ich keine Ultra kriege?« Denn ich hatte natürlich jedem, aber wirklich jedem, auch denen, die es nicht hören wollten, erzählt: »Ich bekomme eine Ultra.« Pustekuchen. Stattdessen fuhr ich mit leeren Händen nach Hause und musste mir dann ein Moped aussuchen für 1600 DM. Irgendwann entschied ich mich zähneknirschend für eine Yamaha TY 50 Trail, ein kleines Cross-Moped. Dann sind wir nach Köln gefahren, wieder mit dem Omnibus. Diesmal zum Yamaha-Händler Karl Emonts. Mit dem bin ich heute noch gut befreundet. Und dann haben wir dieses Moped gekauft und er hat es zu uns nach Hause geliefert. Und es war noch nicht Schluss mit den Enttäuschungen. Als die kleine Yamaha neu vor der Tür stand, habe ich natürlich sofort das Nummernschild drangeschraubt, mich in die Klamotten und den Helm gestürzt und bin losgebrettert. Ich war entsetzt! Ich weiß gar nicht, was ich mir vorgestellt hatte, wie schnell das Teil wäre – aber dass bei 40 Kilometer pro Stunde der Ofen aus war, das war für mich ein Schlag ins Gesicht. Egal ob bergab, mit Gegenwind oder sogar gefühlt im freien Fall ... das Dingen fuhr exakt 40! Was für eine Schmach, jedes Mofa im Dorf war schneller, weil die Burschen natürlich die Motoren frisierten wie Sau. Da konnte ich gar nicht anders als nachziehen und so haben meine Kumpels und ich den Motor nach der ersten

Inspektion ordentlich getunt ... danach ging die kleine TY 50 wie ein Zäpfchen. Himmelarsch, war die schnell! Vor allem aber auch schnell kaputt. Nach zwei Jahren hatte ich das hübsche Moped komplett vernichtet, völlig zu Schrott gefahren, ohne Rücksicht auf Verluste. Aber in den zwei Jahren war mir das kleine Ding so ans Herz gewachsen – ich hätte sie am liebsten jeden Abend mit auf mein Zimmer genommen. Und als sie kaputt war, habe ich mir echt ein paar Tränen verdrückt. Aber ich blies nicht lange Trübsal, denn klugerweise hatte ich in der Zwischenzeit selbst so viel Geld gespart, dass ich mir mit 18 bei Emonts eine Yamaha RD 350 LC kaufen konnte. Eine tierische Rakete für damalige Verhältnisse: 49 PS, Zweitakter und leicht. Die drehte wie eine zornige Hornisse und ging wie der Teufel. Ein unvergessliches Teil, genau wie die TY 50.

Vor einiger Zeit bin ich wieder zu Karl Emonts nach Köln gefahren und habe in einem Anfall von Nostalgie gesagt: »Karl, ich hätte gerne noch mal eine TY 50 wie meine damals. Kannst du mir eine besorgen?« Konnte er. Neuwertig, komplett restauriert, die sah genauso aus wie die, die ich mit 16 bekommen hatte. Dann habe ich noch eine Hercules K 50 RL, das Moped von meinem Jugendidol Peter, gekauft und mein unerreichtes Wunschmoped von damals, die Hercules Ultra! Zehn Jahre habe ich nach der richtigen gesucht, sie musste ja genau so aussehen wie in dem Prospekt von damals. Dann hatte ich endlich eine gefunden, habe sie restaurieren lassen und das Ergebnis war überwältigend: Das Moped sieht aus wie neu! Als ich sie bekommen habe, sagte der Junge, der sie restauriert hatte: »Los Horst, komm, fahr mal Probe.« Aber das wollte ich gar nicht. Ich wollte nicht meinen Kindheitstraum begraben. Ich hatte immer von dieser Maschine geträumt und in meinen Erinnerungen war die Ultra ja unfassbar schnell, riesengroß, schwer … Wunderschön und unerreichbar. Wenn ich sie heute fahren würde, dann wäre sie weder groß noch schnell noch schwer. Diese Enttäuschung möchte ich mir und dem Moped ersparen. Denn sie ist immer noch wunderschön!

Und diese drei wundervollen Erinnerungen an meine »Easy-Rider-Jugend« stehen heute bei mir zu Hause in der Garage. Immer blitzblank. Das sind für mich die wertvollsten Motorräder, die ich besitze. Ihr ideeller Wert ist unschätzbar. Ab und zu schleiche ich mich mit einem Bier in die Garage, gucke die drei alten Damen an und erinnere mich an die Geschichten, die ich damals erlebt habe. Dann denke ich oft, jetzt hätte ich gerne eine Zeitmaschine! Ich wäre noch mal 16 und ich führe wieder auf die Kirmes, zum Dorffest oder am Jugendheim vorbei. Mit der Hercules Ultra hätte ich sie bekommen, die schönsten Mädels von damals. Und wenn es nur wegen des Mopeds gewesen wäre.

Wenn das nicht wertvoll ist, dann weiß ich auch nicht, Herrschaften! Ganz im Ernst, das sind die drei Mopeds, die ich im Leben nicht mehr abgeben werde, und was mir erst beim Schreiben dieses Buches klar wurde: Genau eine Woche, nachdem ich die TY 50 »wiederhatte« – also mein erstes Moped, das Mutter und Vater mir geschenkt hatten –, rief Mutter an, um mir zu sagen, dass sie an Krebs erkrankt war. Sachen gibt's, die gibt's gar nicht, und man denkt nicht wirklich, dass das Leben nur aus Zufällen besteht.

Ich habe immer Menschen beneidet, die in ihrem Leben *die* Frau, *das* Auto oder *das* Motorrad für sich gefunden haben. Das war mir bisher nicht vergönnt. Schon gar nicht mit Autos oder Mopeds. Die kamen und gingen in Scharen. Und ich habe immer überlegt, warum ich so viele hatte, warum ich die meisten nicht behalten konnte. Es ging immer so: Wenn ich was Schönes gefunden hatte, dann habe ich das relativ schnell wieder abgestoßen. Verkauft, oder sogar gegen etwas wesentlich Schlechteres, Älteres eingetauscht. Das habe ich wieder schön gemacht und dann ... ja, dann ging das ganze Theater wieder von vorne los. Ich vermute, dass ich mir immer wieder beweisen muss, dass ich auf mein Traumauto oder absolutes Wunschmotorrad verzichten kann. Wenn ich so ein schönes Auto kaufe, dann sagen Freunde oft: »Das kannst du nie wieder hergeben, so etwas kriegst du nie wieder, darauf kann du nicht verzichten.« Das ist praktisch schon das Todesurteil für das Teil. Ich kann alles wieder hergeben, das sind doch nur Dinge. Aber ich habe Angst vor der Enttäuschung. Dass etwas, was ich unendlich liebe, plötzlich nicht mehr da ist. Dass die Trauer über den Verlust einen so sehr lähmt und einem die Lebensfreude nimmt, dass man nicht mehr weiß, wie es weitergehen soll. Ich habe ein Kind verloren, das war so schrecklich, verkraftet habe ich diesen Verlust wahrscheinlich nur durch die Liebe zu meiner Familie, aus Respekt vor dem Wunder des Lebens. Aber wir reden doch hier nicht über Menschen, die sind unersetzlich. Motorräder, Autos, Häuser oder Uhren – das sind Gegenstände, die ersetzbar sind. Von deren Besitz ich mein Leben doch nicht abhängig mache, das wäre absurd. Ich habe diesen Dingen auch nie nachgetrauert, weil ich sie ja »hatte«. Die waren mal da. Das habe ich mal erlebt, besessen und das war schön – aber ich finde viele Dinge schön. Ich könnte nie sagen, das ist mein Traummotorrad, das möchte ich für immer und ewig haben. Es gibt noch so viele tolle Maschinen, die ich noch fahren und erleben möchte. Dasselbe mit Autos oder Häusern. Essen, auch so eine Sache.

Ich möchte noch so viel probieren, ich bin noch lange nicht satt. In der kurzen Zeit, in der wir auf der Erde wandeln, gibt es so viel zu entdecken. Daheim ist es schön, aber daheim sterben die Leut'.

18

Keine
Zeit für
Arschlöcher.
Punkt, Pasta,
aus!

Ich glaube nicht, dass ich in diesem Leben erwachsen werde. Ich finde das auch gar nicht so erstrebenswert. Was soll das überhaupt heißen, erwachsen sein? Darf ich dann keinen Unsinn mehr machen, über die Stränge schlagen? Bin ich dann nur noch vernünftig und weise? Das klingt für mich alles sehr nach Langweile und einem Leben ohne Überraschungen. Oft sagen mir Leute, ich würde meine Meinung wechseln wie andere Leute ihre Unterwäsche. Ja, und? Wenn ich vor zwei Jahren gesagt habe, dass ich Eier aus Bodenhaltung okay finde, dann muss ich das doch nicht für den Rest meines Lebens vertreten. Vor allem nicht, wenn es neue Informationen zum Thema gibt, die mich umdenken lassen. Wenn ich durch

Berichte in der Presse oder einen eigenen Besuch in einem Mastbetrieb zu der Überzeugung gekommen bin, dass ich diese Art von Massentierhaltung für nicht mehr tolerierbar halte. Man lernt doch nie aus, hört neue Argumente zu gesellschaftlich relevanten Themen – da ist es für mich enorm wichtig, keine festgefahrene Meinung zu haben. Ich bewundere eher die Menschen, die sich gefunden haben, die bei sich sind und das auch ausstrahlen, ob sie nun »erwachsen« sind oder nicht … und wenn ich auf solche Leute treffe, dann will ich mit ihnen reden und ihnen stundenlang zuhören. Das liebe ich. Menschen und ihre Lebensgeschichten.

Und was mir wirklich mehr Freude macht als alles andere, ist, Menschen zum Lachen zu bringen. Ihnen Freude zu machen. Ob im Theater, in den Hallen, im Fernsehen oder bei einer kleinen Lesung in der Buchhandlung um die Ecke, das ist mir völlig egal. Hauptsache, ich treffe auf interessierte Menschen, die mit mir ein bisschen Zeit verbringen möchten. Darum liebe ich ja auch meine Sendung »Bares für Rares«, fühle mich damit so pudelwohl. Jeden Drehtag treffe ich auf die unterschiedlichsten Typen, jeder hat eine andere Geschichte im Rucksack, alle wollen ihre Geschichte erzählen und ich liebe es, mir alle anzuhören. Den Leuten die Angst vor der Kamera zu nehmen, ihnen ehrlich interessiert gegenüberzutreten … Die Geschichten über ihren Gegenstand, ihre Hoffnung und Wünsche zu erfahren, all das sauge ich auf wie Löschpapier und würde am liebsten Stunden mit ihnen verbringen. Eigentlich ist das sogar wie damals in der »Oldiethek« – diese ganzen Autos, Motorräder, Klaviere, die alten Möbel, das Porzellan und das kleine Gedöns –, diese Sammelleidenschaft war für mich immer nur Mittel zum Zweck. Die Geschichten hinter all diesen Dingen interessierten mich viel mehr. Genauso geht es mir mit dem Kochen. Ich koche gerne, ich esse wahnsinnig gerne, aber es war immer nur ein Mittel zum Zweck, um an die Menschen ranzukommen. Mit ihnen zu reden, mir ihre Geschichten anzuhören. »Bares für Rares« ist ein perfektes Vehikel, um an tolle Geschichten zu kommen und faszinierende Menschen kennenzulernen. Gütige, geizige, freundliche, gehemmte, großspurige – das ganze Spektrum offenbart sich über ein paar Gegenstände, die zu Geld werden sollen. Ich liebe es. Darüber hinaus ist das Team sehr nett, ich freue mich über jeden Drehtag. Ich arbeite mich nicht an den Menschen ab wie so viele Talkmaster, sondern interessiere mich in dem Moment des Gesprächs wirklich für ihre Story. Klar, so ein Talkmaster hat viele Sendungen, viele Themen, noch mehr Gäste, da kann schon mal das Interesse ein bisschen auf der Strecke bleiben.

Ich denke ja oft, was habe ich nicht alles selber schon an Schicksalsschlägen hinnehmen müssen … Und dann kommen Menschen, denen es noch viel schlimmer ergangen ist. Ich frage mich dann immer: Wie haben die das geschafft, wie haben die überlebt? Dann wiederum gibt es Typen, die haben so viele Abenteuer erlebt und sind so unglaublich stark, bescheiden oder unglaublich lustig und liebenswert. Und ich erlebe bei vielen Interviews, dass etwas gefragt, aber nicht zugehört wird. Das verstehe ich nicht. Entweder man interessiert sich für den Mensch oder nicht. Es ist wichtig, dass man jedem mit Respekt begegnet und dass man ihm zuhört, wenn er etwas erzählt. Wir speisen uns heutzutage so oft mit Floskeln ab: »Geht es gut, läuft alles?« Und dann erwarten wir vom anderen, dass der aber gefälligst auch »Alles in Butter« oder »Muss – und selbst?« erwidert. Auch wenn es ihm nicht gut geht. Aber für mich ist es schöner, wenn die Leute merken, der Lichter meint das in dem Augenblick ernst, der will wirklich wissen, wie es mir geht! Weil ich selbst erlebt habe, wie unbefriedigend es ist, wenn sich in Wahrheit keiner für meine Sorgen interessiert. Wie oft bin ich, wenn ich von Mutter aus dem Krankenhaus kam, von Menschen gefragt worden, wie es mir geht. Und schon nach einem leichten Abweichen von der Standardfloskel, etwa mit »Es geht, nicht gerade toll«, verlor der Fragende das Interesse. Diese Gespräche waren dann auch schnell vorbei. Das will man doch nicht. Man hofft, dass andere den Kummer teilen, ebenso wie die Freude. Manchmal stelle ich mir vor, wie es wäre, wenn das jeder Mensch ab morgen machen würde. Das wäre ja fast ein Paradies.

Jeder möchte gerne von anderen Anteilnahme erfahren, aber viele tun sich schwer damit, sie zu geben. Die wenigsten Menschen sind bereit, erst mal ohne Gegenleistung zu geben. Ich möchte das aber gerne, ohne Wenn und Aber. Ich versuche – so gut es geht, ich bin ja auch nicht perfekt –, so höflich zu sein, wie es geht, so freundlich zu sein, wie es nur geht. Ich möchte den Menschen zuhören, ich möchte denen die Achtung und den Respekt geben, den jeder verdient. Helfen, wie es in meinen Möglichkeiten steht. Was du nicht willst, das man dir tu', das füg auch keinem anderen zu. Ist doch ganz einfach. Das ist mein sehnlichster Wunsch für die Zukunft und gerade heutzutage sollte das wieder einen Riesenplatz in unserer Gesellschaft einnehmen. Toleranz, anderen etwas zu gönnen, ihnen zu verzeihen – ich wünschte, mehr Menschen könnten das. Mir fehlt das unglaublich. Ich habe eine große Sehnsucht nach Harmonie. Genau wie ich gesagt habe: keine Zeit für Arschlöcher! Ich bemühe mich sehr, weil ich niemandem mehr wehtun möchte. Vielleicht ist das utopisch und ich werde wahrscheinlich oft scheitern – aber ich gebe nicht auf, mich zu bessern. Wenn mich jemand anspricht, nehme ich mir Zeit für ihn. Wenn ich ihn dann in einem Jahr wiedersehe, erkenne ich ihn wahrscheinlich nicht gleich wieder, dafür treffe ich täglich viel zu viele Menschen. Aber der Augenblick zählt, das Jetzt ist wichtig. Wer weiß, was morgen ist. Viele halten das für oberflächlich. Ich nicht. Oberflächlich bedeutet für mich: nicht zuzuhören, die Gefühle meines Gesprächspartners nicht ernst zu nehmen. Oberflächlich wäre, wenn ich mein Interesse nur vortäuschte und vorspielte. Das will ich nicht, das kann ich nicht.

Die unterschiedlichen Menschen bei »Bares für Rares« sind die wirklich große Herausforderung. Da ist alles dabei. Die verschiedensten Bildungsschichten, Charaktertypen, aber jeder Einzelne auf seine Art wertvoll. Und ich möchte, dass sie am Ende der Sendung nach Hause gehen und ernsthaft sagen können: »Der Horst hat mich angeguckt, der hat mir in die Augen geguckt, der hat sich ernsthaft für mich interessiert, den hat wirklich bewegt, was ich zu erzählen hatte.« Das ist mein Ziel, nicht mehr und nicht weniger. Das heißt aber nicht nur Kuschelkurs. Ich nehme mir auch raus, Leuten mal zu sagen, wenn sie gierig sind, aber ich würde nie jemanden vorführen. Das ist mir wichtig. Mir steht nicht zu, jemanden zu beurteilen, aber ich denke schon, dass man das einfach mal sagen darf: »Glaubst du, dass dein Verhalten okay ist? Was meinst du?« Respekt und Menschlichkeit bedeuten ja nicht, zu allem Ja und Amen zu sagen. Wenn ich eine Erklärung bekomme, die mir einleuchtet, dann bin ich auch der Erste, der seine Überzeugungen ohne große Probleme korrigieren kann.

Nachdem Mutter gestorben war, habe ich viel nachgedacht über meine beruflichen Ziele. Mich gefragt, was ich noch erreichen will und ob ich auf dem richtigen Weg bin. Einige Sendungen habe ich beendet, einige laufen weiter und einige konkretisieren sich gerade in meinen Gedanken. Viel habe ich ja auch schon erreicht. Eine Sendung wie »Lafer!Lichter!Lecker!« über zehn Jahre erfolgreich zu präsentieren, ist mehr, als ich je zu träumen gewagt habe. Und auch meine anderen Sendungen habe ich geliebt.

Ich träume zurzeit von einer Sendung mit extremem Fokus auf Menschen, in der all das drin ist, was ich so gerne mag. Einer Sendung, in der ich mit den Menschen Tränen lachen kann, aber gleichzeitig auch traurig weinen kann, wenn sie mir ihre Geschichten erzählen. In der ich das Leben teile, Abenteuer mitmache, den Menschen Mut mache oder ein bisschen Beistand gebe. Ich stelle mir vor, dass ich mit meinen Gästen der Frage nachgehe: Was macht einen Menschen denn nun glücklich? Was ist Glück? Gesundheit? Ein leckeres Spaghetti-Eis mit Sahne an einem sonnigen Nachmittag ohne Verpflichtungen? Ein voller Terminkalender? Ein dickes Bankkonto? Liebe? Und schon sind wir wieder bei den großen Fragen unseres Daseins.

Seit ich weiß, wie traurig das Leben sein kann, kann ich umso intensiver mein Glück empfinden. Also, wohin geht die Reise? Ich weiß es noch nicht. Im Augenblick ändert sich das ständig. Ich bin noch immer nicht, oder nicht richtig, angekommen – obwohl ich mich da, wo wir jetzt wohnen, sehr wohl fühle und ich es auch als mein Zuhause bezeichne. Das geht jetzt schon mein ganzes Leben so: Raus aus dem Elternhaus, dann kam die erste Wohnung, die zweite Wohnung, die dritte Wohnung, dann das Haus gebaut und wieder verloren, als die Ehe scheiterte. Der Laden, das war für viele Jahre mein nächstes Zuhause. Da war ich angekommen, aber ich war gleichzeitig auch gefangen. Nicht lebenslänglich, aber für viele Jahre. Das hat mir nicht wehgetan, das wollte ich ja so. Das war der Deal. Und als wir das Haus in Rommerskirchen gebaut haben, das haben wir schön gemacht, das war unser Haus, mein Zuhause, aber trotzdem war ich dort nie richtig zu Hause – ich war ja immer weg. Und jetzt bin ich auch immer weg. Ich glaube, das ist Fluch und Segen, Sehnsucht einerseits und auf der anderen Seite Panik. Schaffe ich es jemals, ein Zuhause zu finden?

Erst mal die Moped-Tour ganz alleine durchziehen, dann sehe ich weiter. Von Ziel zu Ziel, mit Bedacht, aber konsequent. Und wieder ankommen. Nicht nur von der Tour, auch im richtigen Leben. Seit dem Tag von Mutters Krebsdiagnose habe ich das Gefühl, dass ich mich auf eine große Reise begeben habe. Ich bin mein ganzes Leben noch mal abgefahren. Ich habe viele Stationen abgeklappert und mir – auch wenn es oft schmerzhaft war – wichtige Abschnitte erneut angesehen. Habe gestaunt, geweint, gelitten und oft genug auch herzhaft gelacht. Jetzt möchte ich endlich wieder im Hier und Jetzt ankommen. Den Rest meines Lebens bei mir sein. Kompromisse sind wichtig, aber nicht mehr überlebenswichtig. Ich fühle mich wie ein Bus: Wer mitfahren möchte, ist herzlich eingeladen. Ich kümmere mich um jeden Fahrgast, denn ich respektiere und unterhalte jeden Menschen von Herzen gerne. Aber die Regeln für die Beförderung mache ich. Ich bestimme, wohin ich fahre und wann ich aussteigen will. Wer nicht mitkommen oder aussteigen will – bitte, ich werde keinen aufhalten. Wirklich niemanden.

Ich habe manchmal dieses Bild im Kopf. Darin sitze ich vor einem schönen kleinen Häuschen auf einer Bank vor dem

Haus ... ich habe ein kleines, aber feines Grundstück, da stehen ein altes Moped, ein schönes altes Auto und eine kleine Scheune ... ich habe einen tollen Garten, ein paar Viecher rennen durch die Gegend ... und ich sitze da, bin ganz bei mir und bin niemandem mehr etwas schuldig. Denn ich habe für alles bezahlt. Für meinen Laden, meine Karriere, meine Fehler, meine Niederlagen und Triumphe – alles hatte seinen Preis. Ich habe Ehen in den Sand gesetzt, meine Kinder oft wegen meines Berufes vernachlässigt und ein Kind verloren.

Nun – so langsam muss ich endlich auch mal lernen zu vergessen. Ich habe so viele Bürden auf dem Buckel, die ich noch nicht vergessen konnte und die mich manchmal krumm gehen lassen. Aber ich weiß jetzt zumindest, welche Bürden gehen können. Lange genug habe ich ihnen den Platz auf meiner Schulter auch bereitwillig angeboten. Jetzt ist es genug. Ich sehe endlich Licht am Ende des Tunnels – und es sind nicht die Lichter eines Zuges, der mir entgegenkommt. Ich muss Platz machen für neue Geschichten! Ich bin halt ein Sammler. Ich sammle diese Menschen, ihre Geschichten und ich bringe sie gerne zusammen – weil mich das wirklich interessiert, weil Menschen und Geschichten mir etwas bedeuten. Ich bin wie eine Biene, die von Blüte zu Blüte fliegt. Die sammelt den Nektar für den Honig, aber sie braucht ihn auch zum Leben.

Ich bin einfach – auch wenn das oft leichtsinnig war – ein vertrauensseliger Mensch. Deswegen kann und hat man mir so oft wehgetan. Aber ich lasse mich nicht davon abbringen, ich glaube immer an das Gute im Menschen. Und wenn ich enttäuscht werde, dann suche ich eine Erklärung für sein Verhalten und tendiere eher dazu, es nochmal mit diesem Menschen zu versuchen. Weil ich einfach an das Gute im Menschen glauben will. Ich möchte eigentlich nur, dass sich alle in den Arm nehmen und versprechen, dass alles wieder gut wird. Das mag kindlich und naiv sein. Von mir aus. Ich werde ja sowieso nicht erwachsen. Der Rest meines Lebens liegt vor mir und ich freue mich darauf. Es hat lange gedauert, an diesem Punkt in meinem Leben anzukommen. Nach Mutters Tod ist mir klar geworden, dass ich der Nächste bin. Und darum werde ich die kostbare Zeit mit Freude genießen. Arme Menschen haben keine Träume. Ich bin reich, denn ich habe immer geträumt und viele meiner Träume sind in Erfüllung gegangen. Dafür bin ich dankbar.

Die Zeit – das weiß ich nicht erst seit dem Tod meines Kindes und meiner Mutter –, die Zeit heilt nicht alle Wunden. Aus Wunden werden Narben. Narben bleiben für immer. Aber Zeit ist kostbar und eines weiß ich ganz gewiss: Für mich ist eine neue Zeit angebrochen. Keine Zeit für Arschlöcher.

Ein Danke
zum Dessert

Ihr Lieben! Dieses Buch war mir seit vielen Jahren eine Herzenssache. Aber wie bei so vielen Dingen in meinem Leben dauerte es sehr lange vom Wunsch über den konkreten Gedanken bis zur amtlichen Umsetzung. Deswegen danke ich an dieser Stelle meinem Freund und langjährigen Autor Till Hoheneder:

Lieber Till!

Du bist einer der ganz seltenen Menschen, die ich kennen darf, der nicht nur Unglaubliches erlebt und überlebt hat. Sondern du bist auch einer der ganz wenigen Menschen, die wirklich zuhören können. Du bist für mich nicht erst bei der Arbeit dieses Buches zu einem Freund geworden, sondern schon – auch wenn du es vielleicht nicht bemerkt hast – lange vorher. Nur bei dir war ich mir sicher, dass du nicht nur abtippst, was ich in unseren langen Gesprächen aufs Band gesprochen habe. Sondern meine Gedanken und Erinnerungen sehr kritisch und voll wirklichem Interesse hinterfragst. Du verstehst mich, auch wenn du nicht alles so siehst wie ich. Aber das macht einen echten Freund aus. Wir haben zusammen herrlich gelacht, ernst diskutiert und bitter geweint beim Schreiben. Du bist in meine Person und meine Sprache eingetaucht, um dieses Buch wahr werden zu lassen. Danke für die gemeinsame Zeit.

Ich werde dir als einem der Ersten berichten, wie meine Motorradtour war. Ja, ich werde sie machen! Egal was passiert.

Dein Freund Horst

Danken möchte ich sehr vielen Menschen. Zum Beispiel dem unbekannten Geflügelzüchter aus Mönchengladbach, der damals, als ich ohne Geld anfing, meinen Laden zu bauen, auf einmal in meiner Halle stand und mir einfach drei Tage lang von morgens bis abends geholfen hat. Auf die Frage von mir, wer er ist und warum er mir ohne Gegenleistung hilft, hat er damals nur gesagt: »Ich habe von Ihnen gehört und es ist mir einfach ein Bedürfnis Ihnen zu helfen!« Er wollte »sich selber fühlen«. Das habe ich damals nicht verstanden, aber heute umso mehr. Er soll stellvertretend für all die unglaublichen Menschen stehen, die mir in meinem Leben einfach geholfen haben, ohne je etwas zurückhaben zu wollen. Ich entschuldige mich dafür, dass ich mich nicht um alle gekümmert habe. Aber eins ist sicher: Ich bin mir bewusst, dass ich ohne all diese kleinen und großen Hilfen nicht der geworden wäre, der ich heute bin. Danke.

Danke an Mama und Papa – dafür, dass sie so waren, wie sie waren. Danke an meinen Bruder für seine Liebe.

Danke an meine Kinder, dass sie toll geworden sind. Und entschuldigt bitte, dass ich so war, wie ich war. Ich liebe euch.

Danke an all meine Gäste, die ich bewirten durfte. Ohne euch wäre ich auch nie angekommen.

Danke an mein Jugendidol Peter, du hast immer die größten und schnellsten Motorräder gehabt … und hast sie heute noch!

Danke an Olaf Lüpke, dass er mich fürs Fernsehen entdeckt hat!

Danke an Kimi, die nicht lockergelassen hat bei Markus Heidemanns ... bis er mich finden musste!

Danke an Markus Heidemanns. Er gab mir die Plattform bei Kerners Köchen. Er hatte die geniale Idee für zehn ganz tolle Jahre »Lafer!Lichter!Lecker!«!

Danke an meinen Johann, er weiß schon wofür!

Danke an Markus Lanz für ein Buch, das meinem Leben einen neuen Weg gab, indem es mein »altes Leben« erzählte!

Danke so tollen Menschen, die so selten und wertvoll wie Edelsteine sind: meinem Management und Freunden Töne & Gesa Stallmeyer. Und dem gesamten MTS-Team, das hinter mir steht.

Es gibt noch so viele, die ich gerne erwähnen möchte. Zum Beispiel all die berühmten Persönlichkeiten, die mich ehrlich, offen und freundlich behandelt haben. Alle Arbeiter, die mich lieben, weil ich sie auch liebe – denn ich bin einer von euch.

All die Menschen, die sich mir anvertraut haben, weil ich ihnen Kraft gebe. Glaubt mir, das beruht auf Gegenseitigkeit.

Aber am allermeisten muss ich mich bei meiner wundervollen Frau Nada bedanken:

Liebe Nada!

Du hast über ein Jahrzehnt in Armut – mit mehr Schulden als Vaterlandsliebe – mir bedingungslos zur Seite gestanden. Aber woher hast du auch noch die unglaubliche Stärke genommen, mich in der Zeit des großen Erfolges am Boden zu halten? Du gibst mir den Rückhalt mit deiner Liebe, zeigst mir meine Schwächen und gibst mir Stärke. Auf dass wir gemeinsam auf der kleinen Bank vor dem kleinen Haus sitzen werden und lachend an dieses Leben zurückdenken, wenn die Enkel und Urenkel auf dem Hof spielen.

Entschuldigung – an all die Menschen, denen ich weh getan habe. Verzeiht mir bitte.

Horst Lichter

Till Hoheneder sagt Danke

Ich danke dir, lieber Horst, für die Reise durch dein Leben und dein Vertrauen, dass ich der Richtige bin, es aufzuschreiben. Ich habe alles gegeben, mein Freund.

Ich danke meiner wunderbaren Frau Claudia.

Ein dickes »Danke!« wie immer an Töne, Jonas, Gesa und das gesamte MTS-Büro.

Ich danke allen, die zum Gelingen dieses Buches beigetragen haben.